DAN SCHREIBER

WASCHBÄREN,
DIE IM DUNKELN
LEUCHTEN

und andere absurde Theorien,
seltsame Ideen und
skurrile Experimente

übersetzt aus dem Englischen von
Dejla Jassim, Daniel Müller und Karolin Viseneber

WILHELM HEYNE VERLAG
MÜNCHEN

Die Originalausgabe erschien 2022 unter dem Titel
The Theory of Everything Else. A Voyage into the World of the Weird
bei HarperCollins Publishers Ltd.

Penguin Random House Verlagsgruppe FSC® N001967

Deutsche Erstausgabe 09/2024

© Text by Dan Schreiber 2022
© Illustrations by Sam Minton 2022
© der deutschsprachigen Ausgabe 2024 by Wilhelm Heyne Verlag, München,
in der Penguin Random House Verlagsgruppe GmbH,
Neumarkter Straße 28, 81673 München
Redaktion: Silvia Kinkel
Umschlaggestaltung: wilhelm typo grafisch
Satz: Satzwerk Huber, Germering
Druck: GGP Media GmbH, Pößneck
Printed in Germany
ISBN: 978-3-453-60685-2

www.heyne.de

Für Fenella, Wilf, Ted und Littlestfoot
Meine vier Lieblingsspinner

Inhalt

TEIL III:
Es kann nicht für alles eine Theorie geben und für manches dann doch nicht

Vorwort

DIE WILDE ECKE

Bei den Zen-Gärtnern gibt es die Vorstellung einer »wilden Ecke«. Dahinter verbirgt sich das Konzept, dass in jedem gut gepflegten Garten ein Stückchen Erde vollkommen unberührt, urwüchsig und ungeordnet belassen werden sollte, damit der Gärtner daran erinnert wird, wie das Universum die Natur vorgesehen hatte.

Ich glaube, wir alle sollten in unseren Köpfen eine wilde Ecke kultivieren. Eine winzige Nische irgendwo ganz hinten in unserem Gehirn, die dafür sorgt, dass wir bei völlig abwegigen Ideen immer eine Gänsehaut bekommen, wie abgedreht diese auch sein mögen. Es ist wichtig, diese wilde Ecke so natürlich und frei wachsen zu lassen, wie die Natur es vorgesehen hat, denn große Dinge werden von denen geschaffen, die an verrückte Ideen glauben.

Haftungsausschluss

EINE WARNUNG

Der Autor dieses Werkes übernimmt keine Haftung für überbordende wilde Ecken, die sich aufgrund der Lektüre dieses Buches bei den Lesern entwickeln könnten.

Alle hier vorgestellten Theorien wollen, dass man an sie glaubt. Denken Sie nicht mal dran! Studieren Sie die Theorien gründlich. Diskutieren Sie mit Freunden darüber. Lehnen Sie sich zurück und lassen Sie ruhig zu, wie diese Ideen für ein paar Sekunden Ihre Welt verändern. Aber hüten Sie sich um Himmels willen davor, auch nur eine dieser Theorien zu glauben.

Natürlich liegt es nicht in meiner Hand, was Sie von diesen Theorien halten, ganz egal, wie viele Warnungen ich ausspreche. Aber jede Idee, die Ihnen dabei hilft, sich in diesem Universum zurechtzufinden, kann schnell eine Eigendynamik entwickeln.

In gewissem Maße haben all diese Theorien ein Eigenleben – jedenfalls kommt es einem so vor. Sie wurden in etliche Sprachen übersetzt und werden just in diesem Augenblick an Frühstückstischen und Partybuffets auf der ganzen Welt diskutiert. Sie werden in Klassenzimmern behandelt, von den brillantesten Köpfen an den renommiertesten Universitäten analysiert und rauben Tüftlern und Hobby-Detektiven regelmäßig den Schlaf. Sie haben eigene Websites, Social-Media-Accounts und Netflix-Specials. Eine dieser Theorien hat es sogar zu einem eigenen Soundtrack gebracht, geschrieben und eingespielt von Stevie Wonder.

All diese Theorien haben es geschafft, dass man über sie spricht, und sie werden nichts unversucht lassen, um auch Sie zu überzeugen. Aber denken Sie bitte daran: Das vorliegende Buch basiert nicht auf Fakten. Es basiert auf »Fakten«. Keine der Theorien in diesem Band ist wahr.* Vielmehr handelt es sich um Ideen, Spekulationen, Annahmen und Behauptungen, die gern als Wahrheiten gelten würden. Wenn Sie also nach der Lektüre glauben, dass wir nur die dominante Spezies dieses Planeten geworden sind, weil wir für prähistorische Raubtiere zu sehr stanken; oder dass die Nachfahren von Jesus Christus Knoblauchbauern in Japan sind; oder dass Büropflanzen als Polizeibeamte eingesetzt werden sollten … nun ja, dann ist das allein Ihre Sache.

---

* Noch nicht, jedenfalls.

Einleitung

GRÜSSE VON DER ETWAS ANDEREN SEITE

1956 stapfte der Archäologe George Michanowsky durch eine abgelegene Gegend im bolivianischen Urwald, als er plötzlich auf ein paar Einheimische traf, die ein Fest mit Tanz, Drinks und den dazugehörigen Ausschweifungen* veranstalteten. Michanowsky hörte sich um und verstand bald, dass es sich um ein jährlich stattfindendes Event handelte, zu dem seit Tausenden von Jahren die Menschen aus Hunderte von Meilen entfernt liegenden Dörfern anreisten, um gemeinsam zu feiern.

»Was wird denn gefeiert?«, fragte der Archäologe.

»Das wissen wir nicht mehr«, antworteten die Bolivianer. Irgendwann im Laufe der Zeit hatten sie vergessen, warum sie dieses Fest veranstalteten.

---

* Orgien.

Da sie sich jedoch nicht von kleinen formalen Fehlern wie diesem die Laune verderben lassen wollten, trafen sie sich weiterhin jedes Jahr, um gemeinsam zu gedenken ... wem oder was auch immer.

*

Dieses anthropologische Rätsel begegnete mir zum ersten Mal vor einigen Jahren in einem antiquarischen Buchladen in London, als ich dort in einer Ausgabe des *Time Magazine* von 1973 blätterte. Seitdem habe ich viel darüber nachgedacht. Auch wenn es sich platt anhören mag, das Geheimnis um die bolivianischen Tänzer zeigt auf beeindruckende Weise eine der zentralen Ideen dieses Buches: Wo man auch hinschaut, irgendetwas Seltsames, Kurioses und Unerklärliches findet sich überall. Noch wichtiger ist vielleicht jedoch, dass sich immer irgendjemand (oder irgendetwas) der Auflösung dieses Geheimnisses widmet, wie unwichtig es auf den ersten Blick auch wirken mag.

Gerade in diesem Augenblick versuchen Wissenschaftler im Silicon Valley herauszufinden, ob das Universum nur ein riesiges Videospiel ist; in Australien wollen Ornithologen ihre Theorie bestätigen, dass es eine Vogelart gibt, die in der Wildnis Popsongs aus den 1930er-Jahren trällert, und in Polen gibt es einen Geisterjäger, der uns davor warnt, dass die Geister so verärgert über die zunehmende Skepsis hinsichtlich ihrer Existenz sind, dass sie mit Streik drohen. »Wenn ihr euch so verhaltet, geistern wir eben nicht mehr umher«, lautet wohl ihre Botschaft.

Mir scheint, als wollte jeder irgendeine Theorie beweisen – sei es über etwas Großes wie den Sinn des Lebens oder etwas

Kleines wie die Frage, warum Australier so sprechen, wie sie es tun.* Es gibt einfach viel zu viele Dinge, über die wir viel zu wenig wissen. Warum sind wir hier? Gibt es Geister? Werden wir von Außerirdischen besucht? Empfinden Pflanzen etwas? Und warum wölbt sich der Duschvorhang immer in der Dusche zu einem hin?**

Wir kennen die Antworten auf diese Fragen nicht, aber ich werde in diesem Buch ein paar Leute vorstellen, die meinen, sie könnten sich darauf einen Reim machen. Außerdem werden Sie das Wort für »Danke« auf Pflanzensprache von einem führenden Botaniker lernen; Sie werden dazu eingeladen, Naturschützer dabei zu unterstützen, eine vom Aussterben bedrohte Art vor der Ausrottung durch Shampoo zu bewahren, und Sie werden erfahren, warum Sie es vermeiden sollten, einen Nobelpreis in Naturwissenschaften zu gewinnen. Vor allem aber werden Sie erfahren, dass jeder Mensch auf dieser Welt ein kleines bisschen durchgeknallt*** ist.

---

* Niemand weiß genau, wie sich das australische Englisch entwickelt hat. Eine Theorie lautet: Wegen der großen Fliegenpopulation waren Australier gezwungen, mit aufeinandergepressten Zähnen zu sprechen, um nicht den Mund voller Fliegen zu haben.

** Bisher gibt es vier miteinander konkurrierende Theorien, die neueste stammt von David Schmidt, einem Wissenschaftler an der University of Massachusetts. Um seine Theorie zu beweisen, hat er mit einer Simulation gearbeitet und seinen Computer zwei Wochen lang 1,5 Milliarden Berechnungen anstellen lassen. Während ich dieses Buch schreibe, ist jedoch noch keine der Theorien abschließend bestätigt, weshalb die Jagd auf die alles erklärende Duschvorhangtheorie weitergeht. Interessanterweise existiert auch die Theorie, dass uns die besten Ideen beim Duschen kommen. Es besteht also durchaus die Möglichkeit, dass jemand beim Einseifen auf die Lösung kommt, während sich der Vorhang langsam auf ihn zubewegt.

*** Ich benutze das Wort »durchgeknallt« ziemlich häufig in diesem Buch. Es ist liebevoll gemeint. Vielleicht so, wie wenn mein Vater mich »Knallkopf« nennt, er sagt das voller Zuneigung. Alle meine Lieblingsmenschen sind ein wenig »durchgeknallt«.

Selbst die Leute, von denen man es am wenigsten erwartet, haben seltsame Theorien. Nehmen wir einmal den BBC-Korrespondenten Nicholas Witchell, der praktisch alle wichtigen Nachrichten über das britische Königshaus von 1998 bis 2024 kommentiert hat – wer hätte wohl gedacht, dass dieser seriöse, distinguierte Journalist früher Monsterjäger am Loch Ness gewesen ist?

1972 lebte der damals 19-jährige Witchell sechs Monate lang in einem selbst gebauten Holzunterschlupf am Ufer des Loch Ness und starrte tagein, tagaus mit Fernglas, Kamera und Teleobjektiv bewaffnet aufs Wasser.

Nessie ist ein wichtiger Teil von Witchells Leben. Dank Nessie begann er sogar seine Karriere als Journalist. Nachdem er sechs Monate lang nach dem Monster Ausschau gehalten hatte, sollte er eigentlich nach Leeds gehen, um Jura zu studieren,

Nicholas Witchell, BBC-Korrespondent und früherer Nessie-Jäger.

aber als sich die Möglichkeit auftat, ein Buch über Nessie zu schreiben, überlegte er es sich anders. Zwei Jahre später veröffentlichte er das Buch *The Loch Ness Story*, das bis heute als eines der besten Bücher seines Genres gilt.

Da ich selbst den Loch Ness vor einigen Jahren besucht habe, kann ich mir gut vorstellen, welche Verlockung das Wasser auf Witchell ausübte. Sobald man darauf schaut, kann man gar nicht anders, als nach Nessie zu suchen. Ich fand es echt schwer, den Blick abzuwenden, weil ich befürchtete, Nessie könnte sich genau in dem Augenblick an der Oberfläche zeigen.

»Yeah. Im ersten Jahrzehnt ist es auf jeden Fall am schlimmsten«*, erzählte mir der langjährige Nessie-Jäger Steve Feltham kürzlich bei einem Zoomgespräch. »Aber nach zehn Jahren gewöhnt man sich daran.« Feltham, der seit 31 Jahren am Ufer des Sees lebt und von seinem Wohnwagen aus nach Nessie sucht, wurde mit einem Eintrag im Guiness-Buch der Rekorde als der am längsten Wache haltende Nessie-Jäger geehrt.

AN WAS GLAUBEN SIE DENN SO?

Also, bevor es richtig losgeht, noch eine wichtige Frage: An welche durchgeknallten Sachen glauben Sie? An Geister? Oder daran, es spüren zu können, wenn jemand in Ihrem Rücken sie anstarrt? Sind Sie abergläubisch? Denken Sie, Zufälle hätten irgendwelche Bedeutungen? Haben Sie schon einmal ein UFO gesehen?

---

* Anm. d. Übers.: Sofern nicht anders gekennzeichnet, wurden die wörtlichen Reden und Zitate aus Büchern, die nicht in deutscher Übersetzung vorliegen, von uns übersetzt.

Vielleicht wissen Sie gar nicht genau, was Ihr ganz persönlicher Spleen ist? Während ich an diesem Buch saß, habe ich festgestellt, dass die meisten Menschen nicht in der Lage sind, auf Anhieb sagen zu können, an welche seltsamen Dinge sie glauben. Vermutlich nicht zuletzt deshalb, weil diese seltsamen Dinge ihnen überhaupt nicht seltsam vorkommen, sondern Teil ihrer alltäglichen Realität sind. Aber keine Sorge, wenn man nur lang genug darüber nachdenkt, findet man sie.

Aber vielleicht wissen Sie ja auch genau, an welche seltsamen Dinge Sie glauben, trauen sich jedoch nicht, diese auszusprechen? Auch das verstehe ich natürlich – manche Leute können gnadenlos zu jemandem sein, der Dinge sagt wie:»Ich glaube an den mongolischen Todeswurm*!« Es könnte das berufliche Leben, die Beziehung, ja einfach alles beeinflussen.

Während der Arbeit an diesem Buch bin ich drei Personen begegnet, die von sich glaubten, den Sinn des Lebens entdeckt zu haben: Ein Freund hat mich allen Ernstes gebeten, meine Tarnung aufzugeben und zu bestätigen, dass ich ein Schauspieler in seiner eigenen Version von *Die Truman Show* sei; ich habe mit jemandem Bier getrunken, der von sich selbst behauptete, zur Hälfte ein Reptil zu sein; und ich habe einer Frau dabei zugehört, wie sie erzählte, sie sei eines Morgens ganz früh aufgewacht und habe die Jungfrau Maria am Fußende ihres Bettes stehen sehen. Diese Frau war meine Frau: Fenella.

Fenella zieht seltsame Dinge geradezu magisch an, deshalb wird sie auch immer wieder in diesem Buch auftauchen. Ganz anders als bei mir – der ich unzählige Stunden in versteckten Buchläden stöbere, nach verschollenen Dokumentarfilmen suche und zu merkwürdigen Bühnenshows und Konferenzen

---

* Ein mystisches Tier, das bei Angriff Säure verspritzen und elektrische Schläge verteilen soll.

gehe – kommen die seltsamsten Dinge einfach so zu Fenella. Aus mir unerklärlichen Gründen vertrauen Menschen, die sie gerade erst kennengelernt haben, ihr die seltsamsten Dinge an. Erst kürzlich hatten wir einen Installateur im Haus, um eine undichte Stelle im Badezimmer reparieren zu lassen. Nachdem ich ihn kurz begrüßt hatte, ging ich in die Küche, um ihm einen Tee zu machen, während Fenella ihm die Stelle zeigte. Wenige Minuten später kam sie zu mir in die Küche.

»Ein total interessanter Typ«, sagte sie. »Er hat mir eben erzählt, dass er als Baby in Kasachstan in einem Feld saß und plötzlich ein Adler vom Himmel auf ihn zugeschossen kam, ihn gepackt und mitgenommen hat.«

Die meisten hätten diese Geschichte sicher als das Gefasel eines verrückten Installateurs mit reger Fantasie abgetan. Aber wie der Zufall so wollte, hatte ich Jahre zuvor einen Experten kennengelernt, der sich mit dem Phänomen der von Adlern entführten Kinder beschäftigt hatte. Also warf ich den Installateur nicht aus dem Haus, sondern bat ihn, das Werkzeug beiseitezulegen, damit ich seine Geschichte aufschreiben konnte.

»Glücklicherweise«, beschrieb er mir den Tag des Ereignisses, »schaffte es der Vogel wegen meines Gewichts nicht sofort, an Höhe zu gewinnen, sodass meine Mutter hinter uns herlaufen und den Adler mit einem Stock traktieren konnte, bis er mich fallen ließ.«

Fenella war im achten Monat schwanger mit unserem zweiten Kind, als sie die Jungfrau Maria am Ende unseres Bettes stehen sah. Gerechterweise muss man hinzufügen, dass sich diese Begegnung im März 2020 ereignete und das Land gerade in den ersten Lockdown ging. Am Abend vor diesem göttlichen Besuch hatten wir mit weit aufgerissenen Augen vor dem Fernseher gesessen und dem ungewohnt ernsthaften Premierminister dabei zugeschaut, wie er uns erzählte, es sei von nun an gefährlich, das Haus zu verlassen, und schwangere Frauen wären einem besonders großen Risiko ausgesetzt. Fenella war entsetzt.

Maria erschien ihr nur kurze Zeit später. Zuerst bekam es Fenella mit der Angst zu tun und fürchtete, sie wäre gekommen, um unser ungeborenes Kind zu holen. Bei einer ausführlichen Google-Suche lernte sie jedoch, dass Maria gekommen war, um ihr mitzuteilen, dass alles gut werden würde. Ich war nicht wach und habe Maria nicht gesehen, aber Fenella schwört darauf, dass sie ihr wirklich erschienen ist.

Viele unserer Sonderlichkeiten erben wir von unseren Familien, da bin ich mir ganz sicher. Fenella stammt aus einer religiösen Familie, und bei vielen ihrer Angehörigen löste es Begeisterung aus, dass Fenella die Jungfrau Maria erschienen war. Auch ich konnte mich dem Einfluss meiner Eltern nicht entziehen und halte sie für den Grund meines Interesses an wilderen Dingen. Alles begann, als ich 13 Jahre alt war. Nachdem ich meine Kindheit in Hongkong verbracht hatte, entschieden meine Eltern, ihren Friseursalon zu schließen und mit der gesamten Familie in ein verschlafenes Nest an den Northern Beaches von Sydney in Australien zu ziehen. Das Nest hieß Avalon, nach dem mythischen Aufenthaltsort von König Artus, und verströmt, wie Sie sich vorstellen können, heftige New-Age-Vibes.

Mir wurde klar, dass wir an einem etwas *anderen* Ort angekommen waren, als unsere Nachbarin Sharon meine Eltern um Hilfe bat. Sie hatte ein technisches Problem: Sie wollte jemanden auf Facebook entfreunden, wusste aber nicht, wie man das macht. Als meine Eltern bei ihr ankamen, erzählte Sharon ihnen, sie habe kürzlich bei einem Geisterheiler gelernt, dass ihre sogenannte »Freundin« sie in einem früheren Leben im alten Ägypten ermordet habe. »Ich möchte in diesem Leben nicht mit jemandem auf Facebook befreundet sein, der mich in einem vorherigen Leben umgebracht hat«, erklärte sie ihnen.

Oder auch unsere Freunde, Mike und Rebecca, die ihr Haus verkauften und 60 Meilen weiter ins Landesinnere zogen, weil Rebecca in einem Traum gesehen hatte, dass die Küste Avalons in nicht allzu ferner Zeit von einem Tsunami getroffen würde. Zwei Jahrzehnte später ist noch immer nichts passiert.

Genau wie Fenella ziehen auch meine Eltern Seltsames geradezu magisch an, sodass ich wunderbare Abende damit verbrachte, Gästen meiner Eltern beim Philosophieren über esoterische Dinge zu lauschen – von Geistern über UFOS war alles dabei –, bevor sie mir heimlich Bücher von pseudowissenschaftlichen Theoretikern wie etwa Erich von Däniken zusteckten und schließlich durch die Tür hinaustorkelten.

Während dieses faszinierende Leben in Avalon förderlich war, um meine wilde Ecke zu kultivieren, machte ich den echten Sprung in die Welt des Sonderbaren erst, als ich an meine neue Highschool kam.

DIE FEHLGELEITETE ERZIEHUNG DAN SCHREIBERS

Ein Nachfahre von der Insel Atlantis hat meine Schule gegründet. Davon wusste ich nichts, bis ich für dieses Buch zu recherchieren begann, und auch für meine Eltern war diese Information neu.

Die Glenaeon Rudolf Steiner School befindet sich in einer Seitenstraße eines winzigen Vororts sieben Meilen nördlich der Sydney Harbour Bridge.

Rudolf Steiner, Philosoph und Atlantis-Theoretiker.

Umgeben von viereinhalb Morgen Buschland war diese Schule für uns wie ein mythischer Zufluchtsort. Das kann man sich ungefähr so vorstellen, als hätte der Autor von *Die Prophezeiungen von Celestine* ein eigenes Hogwarts eröffnet und Rhonda Byrne, die Autorin von *The Secret – Das Geheimnis,* zur Schulleiterin erklärt.

Meine Schule war die erste Institution in Australien, die auf den Lehren Rudolf Steiners fußte. Der österreichische Philosoph und Architekt, übrigens ein echt schräger Typ, hatte sich vorgenommen, eine Schule zu gründen, die nicht auf Wettbewerb und Leistung beruhte; deren Räume durch den weitestgehenden Verzicht auf rechte Winkel einen organischen Charakter aufwiesen; und die eine Umgebung bot, in der Schüler weniger auf akademische, sondern vielmehr auf kreative

21

Weise lernen. Das zumindest war die offizielle Position. Erwähnt wurde jedoch nicht, dass Steiner ein weltbekannter Okkultist, Mystiker, ganzheitlicher Arzt, Hellseher und Atlantis-Anhänger war.

Steiner gehörte nicht zu den Guten, das habe ich im Podcast *Behind the Bastards* gelernt. Er vertrat rassistische Überlegenheitsideen und gilt außerdem als Begründer der anthroposophischen Medizin, die behauptet, Krankheit könne von der Lebensführung beeinflusst sein und in manchen Fällen – Pech gehabt – solle keine Medizin verschrieben werden, weil das Schicksal beziehungsweise das Karma es so vorsehe. Auch heute werden in anthroposophischen Krankenhäusern Krebspatienten noch mit einer Mistel-Therapie behandelt und Patienten mit Covid-19 bekommen Globuli verabreicht, die Berichten zufolge Sternschnuppenstaub enthalten sollen.

Ich jedoch genoss, nachdem ich eine stark akademisch geprägte Grundschule in Hongkong besucht hatte, jede Sekunde an der Steiner-Schule. Wie es heutzutage in der Steiner-Schule ist, kann ich nicht sagen, aber vor 20 Jahren war das Sonderbare und Seltsame dort ständig spürbar und geradezu unvermeidlich. Während meiner ersten Monate an dieser Schule war mein Klassenlehrer nicht da, weil er wegen einer Krebserkrankung behandelt wurde. Seine Behandlung basierte nicht auf Chemotherapie oder irgendeiner anderen westlichen Medizin, stattdessen hatte er sich dafür entschieden, seinen Weg zurück in ein gesundes Leben durch Meditation zu erreichen. Unterstützt wurde er dabei von einer Gruppe Mönche. Es funktionierte. Mitten im ersten Halbjahr kam er zurück, und dank seiner Erfahrung begannen wir von da an die Tage mit einer Viertelstunde Gruppenmeditation, gefolgt von zehn Minuten Musik von den Beatles und von Simon & Garfunkel.

Die Lerninhalte waren mit denen anderer Schulen in etwa vergleichbar, allerdings waren die Lehrkräfte etwas exzentrisch, wenn es ums Benoten ging. Ich bekam einmal die Bestnote für ein Referat in Geschichte über die Geheimgänge unter den Pyramiden von Gizeh, von denen behauptet wird, dass es dort alte Kristallcomputer von der verschollenen Insel Atlantis geben soll. (Mittlerweile verstehe ich, warum es damals so gut lief.)

Nachdem ich an der Steiner-Schule meinen Abschluss gemacht hatte, traf ich die Entscheidung, nach London umzuziehen, um dort Karriere als Comedian zu machen. Zu jener Zeit begann ich alles abstoßend zu finden, was mit Verschwörungstheorien zu tun hatte, und verliebte mich unsterblich in die Welt der Wissenschaft (in der die Theorien und Annahmen häufig noch wilder und aufregender waren als die in pseudowissenschaftlichen Kreisen). Ich wollte mir eine Karriere aufbauen, die auf Fakten beruhte und nicht auf »Fakten«. Auch wenn ich gern sagen würde, dass mich die letzten Jahre verändert haben, ich mehr und mehr zu einem Verfechter wissenschaftlichen Wissens geworden bin und meine frühe fehlgeleitete Erziehung abgestreift habe, muss ich doch zugeben, dass mein Herz nach wie vor auch für die Sonderlinge und ihre abstrusen Theorien schlägt.

HARTNÄCKIGKEIT, HARTNÄCKIGKEIT, HARTNÄCKIGKEIT

Dieses Buch handelt von Menschen, die große Fragen stellen und nach Lösungen forschen, ganz egal, wie lächerlich sie sich dadurch machen. Zahlenmäßig sind das gar nicht so wenige – sie sind überall. Sehen Sie sich nur um. Um uns herum existiert eine Vielzahl von Wirklichkeiten. Jeden Tag, wenn Sie Ihrem ganz normalen Leben nachgehen, gibt es überall um Sie herum Menschen, die ganz anders denken als Sie. Wenn Sie das nächste Mal nachts zum Mond hinaufschauen, stellen Sie sich einfach einmal vor, dass manche Leute ihn für einen natürlichen Satelliten der Erde halten, während andere glauben, er sei durch und durch künstlich, von Außerirdischen gemacht. Manche glauben, dass Menschen darauf gelandet sind, andere, dass Stanley Kubrick die Landung in einem Hollywoodstudio vorgetäuscht hat. Manche denken, der Mond beeinflusse die Gezeiten, andere glauben hingegen, dass er Menschen Fell wachsen lässt und diese ihn dann anheulen. Ab und zu kommt es vor, dass einem dieser Menschen, die etwas Ungewöhnliches für wahr halten, recht gegeben wird. Dann zahlt sich ihre Hartnäckigkeit aus, nicht alles so zu nehmen, wie es scheint.

Und genau darum geht es: Hartnäckigkeit. Hartnäckig zu bleiben, wenn man etwas richtig durchschauen will – egal, wie lange es dauert, und selbst wenn es nur eine banale Wahrheit offenbart –, ist das oberste Gebot. Nehmen wir das Radioteleskop im Parkes-Observatorium in Australien als Beispiel, eine ziemlich wichtige Schüssel. Dieses Teleskop hat es ermöglicht, dass die Welt TV-Signale von Neil Armstrong empfangen konnte, während dieser auf dem Mond stand. Momentan wird es als Teil des Forschungsprojekts Breakthrough Listen eingesetzt, dem bisher umfassendsten Versuch, außerirdische Kommunikation einzufangen. Gleichzeitig ist es der Ort, an dem hinter den Kulissen Astronomen hartnäckig daran gearbeitet haben, ein lange ungelöstes Rätsel zu entschlüsseln.

Das Problem bestand darin, dass 17 Jahre lang über das Radioteleskop im Parkes-Observatorium seltsame Interferenzen empfangen wurden, die sich die Wissenschaftler einfach nicht erklären konnten. Im Laufe der Jahre wurden die unterschiedlichsten Theorien dazu aufgestellt. 2011 erschien ein wissenschaftlicher Artikel, in dem darüber spekuliert wurde, ob als Ursache Blitzschläge oder Sonneneruptionen infrage kämen, weitere Untersuchungen verwarfen jedoch beide Ideen.

Die beinahe zwei Jahrzehnte andauernde Lektion, warum sich Hartnäckigkeit auszahlt, endete schließlich damit, dass die hauseigenen Astronomen den Verantwortlichen entlarvten: die Mikrowelle in der Küche des Observatoriums. Siebzehn Jahre der Spekulation – und dann stellt sich heraus, dass die rätselhaften Signale ein Zeichen dafür sind, dass die Reinigungskräfte ihre Lasagne erhitzten. Geheimnis gelüftet.

Aber das war nicht das einzige Geheimnis, in dem ein australisches Observatorium eine Rolle spielte. Als ein Pulsar in einer weit entfernten Konstellation entdeckt wurde, bemerkten die Astronomen des Molonglo-Observatoriums ein seltsames Etwas aus Gas. Es sah aus wie die Überreste eines explodierten Sterns. Wenn es sich dabei wirklich um einen Stern handelte, in nur 1500 Lichtjahren Entfernung, wäre es die von unserem Planeten aus gesehen nächste Supernova-Explosion aller Zeiten gewesen, die unseren Himmel für Monate Tag und Nacht erleuchtet hätte – 100-mal heller als die Venus und vermutlich auch heller als der Mond. (Eine Theorie behauptet sogar, dass der Einfluss noch gewaltiger gewesen wäre. Als Resultat hätte die Erde von einer derart gefährlichen Strahlung getroffen werden können, dass es dadurch starke Mutationen der Lebensformen auf der Erde gegeben haben müsste.) Also fragten sich die Astronomen, warum es davon keine historischen Berichte gab.

Bis zu diesem Zeitpunkt seien nur vier weitere Supernovae vermerkt worden, darunter eine in China, von der wir dank der damaligen Astronomen wissen, dass diese im Jahr 1054 beobachtet worden war. Wissenschaftler wollten die Supernova, die vom Molonglo-Observatorium entdeckt worden war, datieren, aber ohne historische Aufzeichnungen war dies unmöglich – sie konnte sich zu jedem Zeitpunkt innerhalb der letzten 15 000 bis 6 000 Jahre ereignet haben. Also veröffentlichte 1972 die Zeitschrift *Archaeology* einen ungewöhnlichen Aufruf dreier NASA-Astronomen. Archäologen wurden um Mithilfe bei der zeitlichen Einordnung dieses Gaswolken-Himmelskörpers gebeten. Es musste doch sicher, so ihre Annahme, irgendeinen Zeugen gegeben haben, der dieses Ereignis auf einem Stein oder an einer Wand verewigt haben könnte. Die

Hoffnung bestand also darin, irgendein Kunstwerk zu finden, anhand dessen es möglich wäre, die Supernova zu datieren.

Der Aufruf wurde von einem Mitglied des *Explorers Club* in New York entdeckt: dem exzentrischen, umstrittenen und langjährigen Archäologen George Michanowsky. Dieser erinnerte sich an ein interessantes Bild auf einem großen, flachen Felsen, das er auf einer seiner vielen Abenteuerreisen entdeckt hatte. Es bestand aus vier Kreisen, von denen drei, wie Michanowsky bemerkt hatte, die hellsten Sterne am Nachthimmel abbildeten. Der vierte und größte Kreis jedoch, der in den Felsen gemeißelt war, hatte nirgendwo am Himmel eine Entsprechung.

Dieser seltsame Felsen wiederum gehörte einer ungewöhnlichen Gruppe indigener Einwohner Boliviens, die, aus einem ihnen selbst unbekannten Grund, einmal pro Jahr zusammenkamen, um gemeinsam zu tanzen. Michanowsky fragte sie also, ob dieser Fels in irgendeiner Weise mit dem Tanzen verbunden sei. Ja, antworteten sie. Ob sie denn wüssten, wofür die Bilder auf dem Stein stünden? Nein. Keine Ahnung. Auch das hatten sie vergessen.

Michanowsky ließ sich davon nicht beirren und forschte weiter. Seine Nachforschungen führten ihn zu den Bibliotheken Mesopotamiens, für die er sogar Keilschrift lernte. Als er eine der Tontafeln in Keilschrift las, entdeckte Michanowsky einen Hinweis auf einen riesigen Stern in einem Teil des Himmels, in dem es keine Sterne gibt. Dieser passte zu der Beschreibung. Die Koordinaten, bemerkte Michanowsky, entsprachen genau dem Ort der Supernova. So kam er zu seiner Hypothese. Diese lautet, dass in den Jahrtausenden, die auf die Supernova folgten, der Einfluss dieses unglaublichen Ereignisses in Kulturen auf dem gesamten Globus gefunden werden könne. Michanowskys Meinung nach waren die Sumerer Zeugen dieses himmlischen Wunders, woraufhin sie Astronomie, Mathematik und Schrift entwickelten und Geschichtsbücher anlegten. Die Supernova und das damit zusammenhängende, bewusstseinserweiternde Wunder, so vermutet Michanowsky darüber hinaus, könnten gar der Katalysator gewesen sein, der zur Geburt der Zivilisation geführt habe.

Warum also tanzten die bolivianischen Einheimischen? Nachdem er 16 Jahre darüber nachgedacht hatte, war sich Michanowsky sicher, die Antwort gefunden zu haben. Sie gedachten mit ihrem Tanz dem vermutlich wichtigsten Ereignis der Menschheitsgeschichte, einem Moment, der unsere Aufmerksamkeit auf die Herrlichkeit des Universums richtete und unser Bewusstsein in diesem Prozess schärfte, vielleicht sei es sogar der »wichtigste Stern in der Geschichte der Menschheit« gewesen. Was die bolivianischen Einheimischen vergessen hatten, war also, dass sie tanzten, um einen unvergesslichen Moment zu feiern. So zumindest die Theorie …

TEIL I

**WARUM
ES WICHTIG
IST, EIN
KLEIN WENIG
DURCHGEKNALLT
ZU SEIN**

Menschen sind komisch – und das ist gut so. Genie und Wahnsinn gehen oft Hand in Hand. Thomas Edison zum Beispiel glaubte trotz seines klugen Verstands, dass das nächtliche Tragen von Schlafanzügen den Körper aus seinem natürlichen Gleichgewicht bringe und zu Schlaflosigkeit führe. Deshalb schlief er stets in Arbeitskleidung.* Die australisch-britische Schriftstellerin P. L. Travers, Schöpferin des über magische Fähigkeiten verfügende Kindermädchens Mary Poppins, behauptete, sie habe bei einem Spaziergang auf dem Land den riesigen Fußabdruck eines Außerirdischen entdeckt, der unseren Planeten als Sprungbrett genutzt haben soll: »Der Abdruck stammte ganz klar von einem gigantischen Wesen. Es muss wohl zunächst auf dem Uranus gelandet und dann, nach ein,

---

* Um diese Theorie zu überprüfen, bat ich 20 an Schlaflosigkeit leidende Personen, Edisons Ansatz auszuprobieren. Die Ergebnisse waren eindeutig: 1. Es funktioniert nicht. 2. Thomas Edison hatte sich ganz offensichtlich nie in einem Bügel-BH schlafen gelegt.

zwei Schritten auf der Erde, weiter durchs Universum gezogen sein. Mehr als diese Spuren hat es uns offenbar nicht hinterlassen.«

Der *Dracula*-Autor Bram Stoker nutzte ein Kapitel seines letzten Buches, um seine Theorie zu Queen Elizabeth I. zu verbreiten. Diese war seiner Meinung nach nämlich ein Mann. Der neuseeländische Bergsteiger Edmund Hillary ging kurz nach seiner Besteigung des Mount Everest auf Expedition, um den Yeti aufzuspüren (ein zweibeiniges behaartes Fabelwesen des Himalajas, an dessen Existenz unter anderem die britische Verhaltensforscherin Jane Goodall und der Naturforscher David Attenborough glauben). Der italienische Radio- und Amateurfunk-Pionier Guglielmo Marconi war überzeugt, dass Geräusche niemals verschwinden, sondern nur leiser würden. Die letzten Jahre seines Lebens verbrachte er damit, sich einen Mechanismus auszudenken, um die Bergpredigt und die darin enthaltenen Lehren von Jesus Christus hörbar zu machen. Das sind nur einige wenige Beispiele. Im ersten Teil dieses Buches werden wir uns einige Persönlichkeiten ansehen, die es auf ihrem Gebiet bis an die Spitze gebracht haben – etwa zum erfolgreichsten Musikstar. Dabei werden wir feststellen, dass, ganz gleich um wen es sich handelt, immer ein Quäntchen oder auch ein Riesenhaufen durchgeknalltes Zeug im Spiel ist …

KAPITEL 1

DER SPINNER, DER DIE WELT GERETTET HAT

DIE THEORIE DES UNBEWEISBAREN

An einem späten Freitagabend im Jahr 1985 beschloss Kary Mullis, die Außentoilette seiner Waldhütte in Kalifornien zu nutzen, bevor er zu Bett ging. Er griff nach einer Taschenlampe und machte sich dann den Berg hinunter auf den Weg zu seiner 50 Fuß entfernten Toilette. Als Mullis sich dieser näherte, bemerkte er plötzlich ein seltsames Leuchten unter einer nahe gelegenen Tanne. Als er den Lichtkegel seiner Lampe darauf richtete, entdeckte Mullis die Ursache des Leuchtens. Es ging von einem leuchtenden Waschbären aus. »Guten Abend, Doktor«, begrüßte ihn der Waschbär. »Hallo ...«, erwiderte Mullis.

Vermutlich ist der Name Kary Mullis nur den wenigsten bekannt, auch wenn er im Leben der meisten Menschen in den letzten Jahren eine nicht unbedeutende Rolle gespielt hat. Dank ihm mussten Millionen Menschen während der Corona-Pandemie nicht sterben. Der Mann, der sich plötzlich in einem Gespräch mit einem sprechenden, fluoreszierenden Waschbären wiederfand, war zugleich einer der Nobelpreisträger für Chemie im Jahr 1993. Ja, es stimmt: Mullis haben wir tatsächlich den PCR-Test zu verdanken.

Vor dem Covid-19-Ausbruch hatte ich noch nie von PCR gehört, und wenn ich meiner selbst durchgeführten Online-Umfrage vertrauen kann, geht es 70 Prozent von Ihnen genauso. Keine Ahnung, wie das passieren konnte. Die *New York Times* hat die Entwicklung der Polymerase-Kettenreaktion (PCR) als derart revolutionär beschrieben, dass sie

Kary Mullis: Nobelpreisträger für die Entwicklung der Polymerase-Kettenreaktion (PCR).

die Biochemie in zwei Zeiten eingeteilt hat: vor PCR und nach PCR. Vor PCR war es unglaublich schwer, DNA zu erforschen. Weil sie so klein ist, war sie ein großes Problem. Eines, das durch PCR behoben werden konnte, da es dadurch möglich wurde, Unsummen von Kopien spezifischer DNA-Proben anzufertigen, wodurch ein deutlich größerer Analyseumfang ermöglicht werden konnte. Mittlerweile ist diese Technik Standard geworden und wird überall eingesetzt, von der forensischen Kriminalistik, bei der etwa die Genauigkeit von Fingerabdrücken* revolutioniert wurde, bis hin zur Archäologie, bei der sie dabei half, die Gebeine von König Richard III. zu identifizieren, die 2012 unter einem Parkplatz in Leicester ausgegraben wurden, nachdem sie von einer Drehbuchautorin mittels »Intuition« gefunden worden waren.

Dann, als die Welt 2020 stillstand und Wissenschaftler auf der ganzen Welt verzweifelt nach einem Impfstoff suchten, um das rasch um sich greifende Virus zu stoppen, wurde PCR zu einem der wichtigsten Werkzeuge, um die Ausbreitung zu verhindern.

Die bahnbrechende Idee für die Polymerase-Kettenreaktion kam Mullis 1983, als er sich gerade auf dem Highway 128 unterwegs zu seiner Waldhütte in Mendocino befand.

Er habe in der Nacht nicht geschlafen, erklärt Mullis in seiner Rede anlässlich der Verleihung des Nobelpreises. Als er an jenem Abend an seinem Häuschen angekommen sei, habe er sofort damit begonnen, kleine Diagramme auf jede ver-

---

* Ein Bericht des *National Registry of Exonerations* [Nationalen Entlastungsregisters] aus dem Jahr 2019 zeigt, dass durch den Einsatz von PCR 494 zu Unrecht verurteilte Personen entlastet werden konnten (in einem Drittel dieser Fälle konnten außerdem die tatsächlichen Täter überführt werden).

fügbare Fläche zu zeichnen, die mit Kugelschreiber, Bleistift oder Kreide beschreibbar gewesen sei. Bis er dann im Morgengrauen, mit Hilfe einer guten Flasche Anderson Valley Cabernet Sauvignon, in eine Art verwirrten Zustand der Halb-Bewusstheit verfallen sei.[*]

Mullis wusste sofort, dass er etwas Großartiges entdeckt hatte, und erzählte seiner damaligen Freundin umgehend, dass er dafür eines Tages den Nobelpreis verliehen bekommen werde. Als er jedoch den Kollegen bei Cetus, der Biotech-Company, für die er zu jener Zeit arbeitete, davon berichtete, zeigte niemand dort großes Interesse.

WER EINMAL SPINNT, DEM GLAUBT MAN NICHT

Vermutlich war es größtenteils Mullis' eigener Fehler. Er war der Wissenschaftler mit den durchgeknallten Ideen. Aus ihm sprudelten so viele Beobachtungen hervor, dass die PCR-Idee in seinem ständigen Gerede unterging. Er war ein Mann, der über die Jahre behauptet hatte, Menschen sollten in der Lage sein, allein durch Willenskraft eine Glühbirne einzuschalten; er glaubte an Geister[**]; hielt Astrologie für eine Grundlagenwissenschaft, die in jeder Schule unterrichtet werden sollte; außerdem hatte er einmal zum Besten gegeben, eine Frau habe ihm das Leben gerettet, indem sie im Geiste Hunderte Meilen auf der »Astralebene« zurückgelegt habe, um ihm zu helfen, als

---

[*] Kary Mullis: *Nobel Lecture*, 1993
[**] In seiner offiziellen Nobelpreis-Biografie schrieb Mullis, sein Großvater habe ihn in einer »nicht körperlichen Form« besucht, als sein Geist die physische Welt verließ. Mullis glaubte, er habe das getan, um vor seinem endgültigen Verschwinden noch ein paar Tage mit Mullis in San Francisco zu verbringen.

er nach einer versehentlich eingenommenen Überdosis Lachgas sterbend auf seinem Schlafzimmerboden gelegen hatte.

Es gibt da so eine Tendenz, unkonventionelle Wissenschaftler wie Kary Mullis zu überhöhen. Sie wirken auf den ersten Blick wie aufregende Regelbrecher, deren Kapriolen eher zu exzentrischen Journalisten à la Hunter S. Thompson zu passen scheinen als zu typischen Wissenschaftlern. Mullis kann auf dem Papier sehr einnehmend wirken. In Wahrheit ging von ihm leider eine Gefahr aus. Seine öffentlich geäußerten Meinungen, insbesondere das Leugnen des Zusammenhangs zwischen HIV und AIDS, hatten einen derart großen Einfluss, dass man sich fragen könnte, ob nicht Hunderttausende Tote auf sein Konto gehen, nachdem seine Aussagen von Diktatoren in sogenannten Entwicklungsländern als Tatsachen verkauft wurden. Die unschöne Kehrseite der Medaille, da er andererseits so viele Leben gerettet hat.

Er war äußerst schwierig und unberechenbar – nachdem er den Nobelpreis verliehen bekommen hatte, vertrat er bei öffentlichen Auftritten die Meinung, Klimawandel sei nicht menschengemacht; außerdem sagt man ihm zahlreiche Affären, Drogenmissbrauch (er war ein Verfechter und regelmäßiger Konsument von LSD) und fragwürdige Praktiken nach – wie zum Beispiel das Verwenden von Nacktbildern von Frauen in seinen Präsentationen, wenn er wissenschaftliche Vorträge hielt. Nachdem er von dem früheren NFL-Star O. J. Simpson in dessen Verteidigungsteam gerufen worden war, um über DNA-Proben in dem berüchtigtem Mordprozess auszusagen, wurde er zu einer derart großen Belastung, dass man ihn wieder entließ. Der Grund für das Aufkündigen der Zusammenarbeit war, dass Simpsons Team Sorge hatte, er könnte ihren Mandanten in schlechtem Licht erscheinen lassen.

Das ist vermutlich auch der Grund, warum die PCR-Methode rund um die Welt bekannt geworden ist – der Name Kary Mullis hingegen nicht. Er war zu umstritten, um mit ihm zu werben. Ihn störte das allerdings nicht, schließlich wusste er, dass Ruhm wankelmütig ist. Er hatte die Höhen und Tiefen des Berühmtseins erfahren, als bekannt wurde, dass er den Nobelpreis verliehen bekommen würde. Wie er in seiner Autobiografie *Dancing Naked in the Mind Field*[*] schreibt: »Am Morgen ist man auf den Titelseiten aller Zeitungen zu finden, und am Abend wird man bereits von den statistisch angenommenen 328 716 Vögeln in ihren Käfigen vollgeschissen.«[**]

DAS A UND O DES GELDMACHENS

Mullis wurde nie ausreichend für die Erfindung der PCR-Technologie entlohnt. Gerade einmal einen Bonus von 10 000 Dollar bekam er von seinem Arbeitgeber, der Firma Cetus, die seine Erfindung wenige Jahre später für 300 Millionen Dollar weiterverkaufte. Verbittert über die spärliche Bezahlung, versuchte Mullis aus seiner Erfindung anderweitig Kapital zu schlagen – am öffentlichkeitswirksamsten etwa durch die Gründung einer eigenen Schmuckkollektion für ein Unternehmen namens StarGene. Mithilfe der PCR-Methode

---

[*] Anm. d. Übers.: Der englische Titel enthält ein Wortspiel, das mit der lautlichen Ähnlichkeit zwischen »mind field« [Gedankenfeld] und »minefield« [Minenfeld] spielt. In diesem Feld wird nackt getanzt.

[**] Diese Zahl basiert auf der Analyse des Vogelexperten Jamie Yorck, der vorrechnete, dass ein Siebenundsechzigstel der Menschen auf der Erde einen Vogel besitzt und jede dieser Personen die Zeitung auf dem Boden des Käfigs täglich wechselt. Mullis' Zahl bezog sich auf die Weltbevölkerung von 5,5 Milliarden im Jahr 1993, eine 25 Seiten starke Zeitung und die Annahme dass sein Gesicht ein Zehntel der Titelseite einnahm.

wollte er Haarsträhnen verstorbener Prominenter verwenden, einzelne Gene vervielfachen und kleine Mengen DNA daraus in künstlichen Edelsteinen konservieren – diese sollten dann zu Ohrringen, Ringen, Halsketten, Uhren, Hundemarken et cetera verarbeitet und an die breite Öffentlichkeit verkauft werden.

Berichten der *Los Angeles Times* zufolge gelang der Start des Unternehmens gut, da Mullis es bewerkstelligte, die Rechte zur Extraktion der DNA aus Haaren von Elvis Presley, George Washington und Marilyn Monroe zu sichern. Das verdankte Mullis seinem fantastischen Haarhändler – einem Mann namens John Reznikoff, dem Besitzer der vermutlich größten Sammlung geschichtsträchtiger Haarproben berühmter Persönlichkeiten. In seiner Sammlung finden sich Strähnen von Beethoven, Napoleon Bonaparte, John Wilkes Booth und dem Mann, den er ermordete: Abraham Lincoln (von seinem Totenbett entnommen, ist dieses Exemplar besonders erwähnenswert, da Gehirnmasse daran klebte)*. Mullis zerstreute sofort jegliche Bedenken, er könnte mit seinem Unternehmen das Klonen ganzer Körper im Sinn haben, indem er den Nachlassverwaltern und Nachkommen der Verstorbenen zusicherte, für eine Wiederauferstehung der toten Persönlichkeiten sei die verwendete DNA-Menge viel zu gering.

Leider wurde das Projekt jedoch nie in die Tat umgesetzt, da sich die Herstellung des Schmucks als zu kompliziert und kostenintensiv herausstellte, weshalb Mullis seine ursprüngliche Idee abwandelte und dazu überging, Karten produzieren zu wollen, die DNA enthielten. Jede von ihnen sollte mit

---

* Eine andere bedeutsame Haarsträhne aus Reznikoffs Kollektion stammt von Eva Braun, der Geliebten und späteren Ehefrau Hitlers. Als diese analysiert wurde, konnte daran die jüdische Abstammung Brauns belegt werden.

dem Porträt einer berühmten Persönlichkeit versehen werden, in einer kleinen Erhebung in dieser Karte befände sich zudem ein winziges bisschen der DNA dieser Person. Auf der Rückseite wären nicht etwa sportliche Erfolge oder Ähnliches zu lesen, sondern durch eine Buchstabensequenz sollten die Nukleotide der DNA abgebildet werden, die sich in der Karte befänden. Auch dieses Projekt wurde niemals realisiert.

DIE GROSSE UNBEKANNTE

Kary Mullis ist vielleicht das beste Beispiel dafür, dass ein Mensch zugleich brillant und ein bisschen durchgeknallt sein kann. Er war ein fantastischer Wissenschaftler, das steht außer Frage, jedoch auch jemand, der sich den Vorstellungen der Wissenschaftsgemeinschaft nicht anpassen wollte, weswegen er letztlich ausgeschlossen wurde. Es gibt viele dort draußen, die ihm ähnlich sind. (Lesen Sie einfach weiter, dann werden Sie noch eine ganze Menge davon kennenlernen.) Hartnäckig weigern sie sich, ihre Ideen aufzugeben, egal wie viel Spott über sie hereinbricht.

Bei Mullis gab es zwei Dinge, von denen er nicht lassen konnte. Die Idee der PCR, die er weiterverfolgte und schließlich löste, auch wenn seine Kollegen ihn nicht ernst nahmen. Und zweitens diese andere Sache, die er den Rest seines Lebens aufzulösen versuchte: der sprechende Waschbär. Was zur Hölle war ihm in jener Nacht 1985 widerfahren? Er konnte sich an nichts erinnern, was in den Stunden nach diesem Ereignis geschehen war. Die Zeit schien … einfach weitergesprungen zu sein. Soeben war er noch durch die Dunkelheit den Weg hin-

unter zum Toilettenhäuschen gegangen, und plötzlich war es sechs Uhr morgens, und er lief eine Straße entlang, die von seiner Hütte den Berg hinaufführte. Wie war er bloß dorthin gekommen?

Zuerst erinnerte sich Mullis an nichts. Er dachte, er müsse ohnmächtig geworden sein, aber auf seiner Kleidung gab es keine Anzeichen dafür, dass er auf dem feuchten Boden gelegen hatte. Dann wusste er es auf einmal wieder. Wie er später in seiner Autobiografie schrieb, erinnerte er sich an das kleine Biest und seinen höflichen Gruß. Er erinnerte sich an wachsame schwarze Augen und daran, wie der Lichtkegel seiner Taschenlampe auf das bereits leuchtende Gesicht des Waschbären gefallen war.

Erst Jahre später, als er gerade die Bücher in einer Buchhandlung betrachtete, verstand Mullis, was ihm damals widerfahren war. Ein Buch, auf dem der ovale Kopf eines Außerirdischen prangte, zog ihn in seinen Bann, und Mullis fragte sich, ob er damals möglicherweise von Außerirdischen entführt worden war. Das Buch von Whitley Strieber, das er ausgesucht hatte, trug den Titel: *Die Besucher. Eine wahre Geschichte.*

Strieber gilt als einer der berühmtesten Menschen, die je von Außerirdischen verschleppt wurden. Sein Buch *Die Besucher*, in dem er die Begegnungen mit einem Außerirdischen beschreibt, wurde ein Riesenerfolg, ein *New York Times*-Bestseller mit mehr als zehn Millionen verkauften Exemplaren weltweit. Striebers Begegnung ereignete sich ebenso wie die von Mullis im Jahr 1985, nur dass Strieber nicht mit einem leuchtenden Waschbären, sondern einer extraterrestrischen Eule sprach.

Mullis kaufte das Buch und ging nach Hause. Später, als er auf seinem Bett lag und darin las, rief ihn seine Tochter Louise an. Sie schwärmte ihm von einem großartigen Buch vor, das ihr Vater unbedingt lesen müsse: *Die Besucher* von Whitley Strieber. Was für ein außergewöhnlicher Zufall, dachte Mullis.

Als Mullis seine Tochter fragte, wie sie auf das Buch gekommen sei, erzählte sie ihm, dass sie vor nicht allzu langer Zeit, als sie mit ihrem Verlobten in der Waldhütte in Mendocino gewesen sei, vor dem Einschlafen noch zum Toilettenhäuschen ging. Als Nächstes erinnerte sie sich daran, dass sie drei Stunden später allein eine Straße entlanggelaufen sei (dieselbe Straße wie auch Mullis), ohne sich erklären zu können, wie sie dorthin gekommen war. Ihr Verlobter, der wie verrückt nach ihr gesucht hatte, konnte nicht herausfinden, wohin sie verschwunden war.

Mullis konnte kaum glauben, was er da hörte. Er hatte seiner Tochter nicht von seiner eigenen Erfahrung erzählt. »Hast du zufällig auch irgendwelche sprechenden Waschbären gesehen?«, fragte er sie daraufhin. Das hatte sie nicht.*

*

Kary Mullis verstarb unerwartet im August 2019, kurz bevor er hätte erleben können, wie seine Erfindung durch eine weltweite Pandemie und den damit zusammenhängenden Lockdown auf einmal enorm wichtig wurde.

Auch dem sprechenden Waschbären sollte er nie wieder begegnen. Zu gern hätte er einen wissenschaftlichen Artikel über diese Begegnung verfasst, aber da sich diese nicht reproduzieren ließ, war es ihm unmöglich: Leuchtende Waschbären ließen sich eben nicht einfach herbeirufen. Er könne sie auch nicht irgendwo als wissenschaftliches Material bestellen, um sie näher zu analysieren, schrieb er in seiner Autobiografie. Aber er glaubte weiterhin daran, dass ihm in jener Nacht etwas ganz Besonderes widerfahren war. »In der Wissenschaft werden solche Ereignisse anekdotisch genannt«, schreibt Mullis, »weil sie auf eine Art stattgefunden haben, die sich nicht reproduzieren lässt. Aber es hat stattgefunden.«

---

* Mullis war jedoch nicht der Einzige, der das fellige Wesen gesehen hatte. Dem Ufologen Bill Chalker zufolge sah auch einer von Mullis' Freunden den leuchtenden Waschbären, und zwar an derselben Stelle, an der Mullis ihn entdeckt hatte. Mullis hatte anlässlich seines Nobelpreises ein Fest in seiner Waldhütte veranstaltet. Ein Freund von ihm, der nichts von Mullis Begegnung wusste, sah den Waschbären, als er gerade auf dem Weg zur Toilette war, drehte sich jedoch auf dem Absatz um, floh zurück zum Haus und rempelte unterwegs einen »leuchtenden Mann« an.

KAPITEL 2

DER WISSENSCHAFTLER, DER ALLES IN DIE LUFT JAGTE

DIE THEORIE VOM VERRÜCKTEN WISSENSCHAFTLER

Forscher, die den Nobelpreis gewinnen, haben ausgesorgt. Es winken weltweite Anerkennung, ein Batzen Bares und, falls man an der UC (University of California) Berkeley arbeitet, sogar ein spezieller, nur für Nobelpreisträger reservierter Ehrenparkplatz.

Der Nobelpreis wurde 1901 ins Leben gerufen, ausschlaggebend dafür war eine Anweisung im Testament seines Begründers: Dr. Alfred Nobel. Als Alfred Nobels Bruder Ludvig 1888 starb, druckte eine französische Zeitung versehentlich einen

Nachruf auf den noch lebenden Alfred Nobel. Unter der Überschrift *Le marchand de la mort est mort* [Der Händler des Todes ist tot] behandelte der Nachruf Nobels Reichtum und erklärte diesen damit, dass Nobel als Miterfinder des Dynamits
einen Weg gefunden habe, »mehr Menschen schneller denn
je zu töten«. Über diese Darstellung war Alfred Nobel so entsetzt, dass er fortan nach Mitteln und Wegen suchte, um der
Nachwelt positiv in Erinnerung zu bleiben. Der Nobelpreis
entwickelte sich rasch zum Inbegriff akademischer Exzellenz.

In den letzten Jahren ist jedoch eine besorgniserregende
Tendenz zu beobachten – eine »Krankheit« machte sich unter
den Nobelpreisträgern breit. Sie nennt sich Nobelitis.

Nobelitis, auch als Nobel-Syndrom bekannt, ist ein Leiden, das Nobelpreisträger dazu verleitet, sich als Experten für
Sachverhalte zu verstehen, von denen sie keinerlei Ahnung
haben. Nobelpreisträger, die unter fortgeschrittener Nobelitis
leiden, fühlen sich plötzlich berufen, in aller Öffentlichkeit all

jene verschrobenen Ideen und Theorien kundzutun, über die sie ihr bisheriges Leben lang geschwiegen haben. Wie Sie aus dem ersten Kapitel wissen, litt Kary Mullis an einem besonders schweren Fall von Nobelitis.*

Die Liste der Wissenschaftler mit Nobel-Syndrom umfasst mittlerweile 31 Personen und wächst stetig weiter. Besonders schwer betroffen sind folgende Preisträger:

Linus Pauling: Der mit dem Nobelpreis für Chemie (1954) und dem Friedensnobelpreis (1962) ausgezeichnete Pauling entwickelte sich nach den Preisverleihungen zu einem Verfechter von Eugenik. Er war der Meinung, dass Menschen mit genetischen Defekten per Stirnmarkierung gekennzeichnet werden sollten, damit niemand auf die Idee käme, mit ihnen Kinder zu zeugen.

William Shockley: Für die Entdeckung des Transistoreffekts wurde Shockley gemeinsam mit seinen Kollegen 1956 der Nobelpreis für Physik zugesprochen. Einige Zeit später outete sich auch Shockley als Unterstützer eugenischer Ideen und sprach sich dafür aus, Menschen mit einem IQ unter 100 durch finanzielle Anreize davon zu überzeugen, sich freiwillig sterilisieren zu lassen. Seine eigenen Gene hielt er für überlegen und erhaltenswert, weshalb er seinen Samen einer umstrittenen Einrichtung namens »Repository for Germinal Choice« spendete, auch bekannt unter dem Namen »Nobelpreis-Samenbank«. Diese Samenbank für Genies wurde 1979 von einem Optome-

---

* Nobelitis-Beobachter haben festgestellt, dass hauptsächlich Nobelpreisträger in den naturwissenschaftlichen Kategorien betroffen sind. Ein erwähnenswerter Fall aus einem anderen Bereich ist Jean-Paul Sartre, der 1964 für den Nobelpreis für Literatur vorgesehen war, diesen jedoch ablehnte und nach einem Meskalin-Trip über Jahre glaubte, von einer Schar Krabben verfolgt zu werden.

tristen namens Robert Graham ins Leben gerufen, der glaubte, die Menschheit befände sich langsam, aber sicher auf dem Weg in den geistigen Verfall. Während ihres 20-jährigen Bestehens gingen 217 Kinder aus der Samenbank hervor. Nur von drei Nobelpreisträgern ist bekannt, dass sie ihren Samen für das Projekt spendeten. Shockley gab als Einziger von ihnen seine Identität preis. Später kam es jedoch zu einem öffentlichen Aufschrei, woraufhin alle beteiligten Preisträger ihre Samenspenden vernichten ließen. Trotz der fragwürdigen Zielsetzung hatte die Nobelpreisträger-Spermienbank einen positiven Effekt: Grahams Methode, relevante Informationen mit den Nutzern der Samenbanken zu teilen, wurde vielerorts übernommen. Zahlreiche Samenbanken auf der ganzen Welt begannen damals, bestimmte Spenderdaten freizugeben und den Entscheidungsprozess damit transparenter zu machen.

Brian Josephson: Der Entdecker des Josephson-Effekts gewann 1973 den Nobelpreis für Physik. Die Wissenschaftsgemeinde distanzierte sich jedoch von ihm, weil er danach behauptete, Wasser habe ein Gedächtnis und Menschen könnten via Telepathie miteinander kommunizieren.

Luc Montagnier: Der Virologe entdeckte gemeinsam mit einem Kollegen das HI-Virus und erhielt dafür 2008 den Nobelpreis in der Kategorie Physiologie oder Medizin. Nach der Preisverleihung outete sich Montagnier als vehementer Impfgegner. Einmal soll er sogar Papst Johannes Paul II. den Extrakt fermentierter Papaya-Samen verschrieben haben, um dessen vermeintliche Parkinson-Erkrankung zu heilen.

*

Auch der österreichische Physiker Wolfgang Pauli gehört in diese Kategorie, er erhielt den Nobelpreis für die Entdeckung des Pauli'schen Ausschlussprinzips. Als Pionier der Quantenphysik wurde Pauli nicht nur von Albert Einstein geschätzt, sondern auch von seinen Kollegen gefürchtet, die ihn wegen seines unerbittlichen Blicks für wissenschaftliche Details insgeheim das »Gewissen der Physik« nannten.[*] Pauli war auch an den Rätseln des Lebens interessiert und entwickelte eine an Besessenheit grenzende Faszination für die Zahl 137.

Die als Feinstrukturkonstante bekannte Zahl 137 (oder besser gesagt 1/137) taucht immer wieder in den Naturwissenschaften auf.[**] Dem Wissenschaftsautor Michael Brooks zufolge bestimmt »diese allgegenwärtige Zahl, wie Sterne brennen, wie chemische Reaktionen ablaufen und sogar, ob Atome existieren«. Physiknobelpreisträger Richard Feynman war ebenfalls von der Feinstrukturkonstanten fasziniert und spekulierte sogar, das Periodensystem der Elemente könne bei der Zahl 137 (gegenwärtig sind 118 Elemente verzeichnet) enden. Diese Zahl ist derart bedeutend, dass ein Professor der Universität Nottingham die Idee äußerte, bei einem möglichen Kontakt mit außerirdischen Lebensformen die Zahl 137 in die Begrüßungsformel aufzunehmen, um den fremden Wesen zu zeigen, dass wir eine intelligente Spezies sind. »Sie ist eins der größten Geheimnisse der Physik«, heißt es bei Feynman, »eine *magische*

---

[*] Pauli war ein Mann mit klaren Prinzipien. Obwohl er Österreicher war, bezog er offen Stellung gegen die Nazis und verweigerte den Hitlergruß. Unglücklicherweise brach er sich bei einem Sturz den Arm und musste monatelang mit einer Gipskonstruktion herumlaufen, die diesen ausgestreckt und im 45-Grad-Winkel vor seinem Körper fixierte.

[**] Die Zahl wird auch oft als 0,007297351 oder durch das Formelzeichen α (Alpha) dargestellt.

Der an Nobelitis leidende Wissenschaftler Wolfgang Pauli.

Zahl, die das menschliche Erkenntnisvermögen übersteigt.«[*]
Es ist die *eine* Zahl, in der Physiker den Schlüssel sehen, um
die Weltformel zu knacken, eine Theorie von allem, mit der
sich das Universum[**] erklären ließe.

Pauli befasste sich sein Leben lang mit dieser Zahl. Doch
mindestens genauso fesselte, ja vereinnahmte ihn sogar ein
anderes Rätsel: Wann immer er sich elektrischen Apparaturen
näherte, gaben sie den Geist auf. Allein seine Präsenz im Raum
schien auszureichen, um die Geräte kaputt zu machen. Seine
Kollegen, die dieses Phänomen ebenfalls bemerkten, tauften
es sogar den »Pauli-Effekt«.

---

[*]   Miller, Arthur I.: *137: C. G. Jung, Wolfgang Pauli und die Suche nach der kosmischen Zahl*, übersetzt von Hubert Mania. Deutsche Verlagsanstalt, 2011, S. 332.
[**]   Das viele Wissenschaftler fälschlicherweise für 13,7 Milliarden Jahre alt hielten.

Der Physiker George Gamow* prägte diesen Begriff und beschrieb ihn wie folgt:»Theoretische Physiker können nicht mit Laborausstattung umgehen; kaum fassen sie etwas an, geht es kaputt. Pauli war so ein großartiger theoretischer Physiker, dass er nur über die Türschwelle zu treten brauchte, damit irgendetwas kaputtging.«** Der Begriff wurde mit reichlich Augenzwinkern verwendet und war nicht ganz ernst gemeint. Er war ein Seitenhieb auf theoretische Physiker ohne Laborerfahrungen. Aber Pauli war sich nicht so sicher, dass es nur ein Scherz war.

Als der österreichische Wissenschaftler einmal zu Forschungszwecken die US-amerikanische Stadt Princeton besuchte, ging in einem Labor der nahe gelegenen Universität ein Teilchenbeschleuniger in Flammen auf, was einen sechs Stunden andauernden Brand zur Folge hatte. Bei einem anderen Vorfall an der Universität Göttingen ging während eines Experiments ebenfalls auf unerklärliche Weise ein Messgerät kaputt, worauf-

---

* Gamow war selbst ein äußerst einflussreicher Wissenschaftler. 1948 veröffentlichte er, zusammen mit dem von ihm betreuten Doktoranden Ralph Alpher, einen der bedeutendsten Beiträge aller Zeiten zur Astrophysik, eine Abhandlung über den Urknall. Gamow erlaubte sich einen Scherz und nannte seinen eigentlich unbeteiligten Kollegen Hans Bethe als Co-Autor. Somit ergab sich die Alpher-Bethe-Gamow-Theorie (»αβγ-Theorie«). Er versuchte sogar, noch einen weiteren Kollegen dazu zu bringen, seinen Nachnamen zu Delta zu ändern, um ihn ebenfalls als Co-Autor aufführen zu können. Alpher war außer sich und vergab seinem Doktorvater diesen Spaß nie.

** Ich habe etliche Biografien durchforstet, um herauszufinden, ob auch andere Nobelpreisträger unter dem Pauli-Effekt litten, konnte aber nur einen weiteren Fall finden: John Bardeen. Er hatte zusammen mit unserem Samenbankkandidaten William Shockley 1956 den Nobelpreis für die Erfindung des Transistors (ein Bauelement, das uns ermöglicht, Stromflüsse zu regulieren und beispielsweise Licht an- und auszuschalten) verliehen bekommen. Sechzehn Jahre nach seinem ersten Nobelpreis erhielt Bardeen einen zweiten Nobelpreis, ebenfalls für Physik. Um ein Haar hätte Bardeen den Umtrunk zur Feier der guten Nachricht verpasst, weil die in seinem Garagentor verbaute Erfindung, die ihm seinen *ersten* Nobelpreis beschert hatte, aus unerfindlichen Gründen den Geist aufgab und er ohne Auto zur Party kommen musste.

hin der verantwortliche Forscher James Franck seine Kollegen witzelnd fragte, ob Pauli in der Stadt sei, was diese verneinten. Später berichtete Franck seinem Kollegen Pauli in einem Brief davon. In seinem Antwortschreiben erklärte Pauli, er sei am Tag des Vorfalls mit dem Zug nach Kopenhagen unterwegs gewesen, um Niels Bohr zu besuchen – und er habe zwischendurch umsteigen müssen, und zwar in Göttingen, wodurch er am Tag des Laborunglücks doch in der Stadt gewesen sei.

Als im Laufe der Zeit mehr und mehr Beispiele für den Pauli-Effekt bekannt wurden, machte sich eine gewisse Nervosität unter manchen Forschern breit, wenn Pauli in der Nähe weilte, weil sie um ihre teuren Apparaturen fürchteten. Physiknobelpreisträger Otto Stern verbot Pauli sogar den Zutritt zu seinem Labor.

Andere Kollegen fanden die Angelegenheit eher amüsant. So dachte sich eine Gruppe von Wissenschaftlern einmal einen Streich aus, um Pauli glauben zu machen, er stifte tatsächlich Chaos. Dazu präparierten sie einen Kronleuchter so, dass er von der Decke fiele, sobald Pauli den Raum beträte. Als Pauli jedoch eintraf, versagte der Mechanismus, der den Kronleuchter zu Fall bringen sollte – und wurde dadurch zu einem weiteren Beweis für den Pauli-Effekt.

Obwohl der Pauli-Effekt für viele seiner Kollegen bloß ein Witz war, konnte Pauli selbst nicht darüber lachen. Er war überzeugt davon, dass die Vorfälle auf telekinetische Energie zurückzuführen waren. Immer wenn irgendetwas in seiner näheren Umgebung in die Luft flog, implodierte oder kaputtging, behauptete Pauli, er habe vor dem Ereignis gespürt, wie sich Energie in ihm sammelte.

Irgendwann traten diese Vorfälle so häufig auf, dass Pauli begann, aktiv nach Sinn und Ursache für den Spuk zu suchen. Bei der Eröffnungszeremonie des C. G. Jung-Instituts in Zürich zum Beispiel fiel scheinbar aus dem Nichts eine chinesische Vase zu Boden, zerbrach und sorgte für eine große Wasserlache. Viele scherzten, das läge sicher an Paulis Anwesenheit. Pauli dachte darüber nach, dass er für die Institutseröffnung seine Forschungsarbeiten über den Renaissance-Mediziner Robert Fludd unterbrochen hatte. Er fragte sich, ob es womöglich einen Zusammenhang zwischen der Wasser*flut* der zerbrochenen Vase und *Fludd*, dem Forscher, der die Flut im Namen trug, geben könnte. Pauli war Freund und Patient von Jung; gemeinsam hatten die beiden viele Stunden damit verbracht, die Träume Paulis zu deuten. Aus ihrem beiderseitigen Interesse an der Thematik ging sogar ein gemeinsam verfasstes Buch hervor, das 1952 unter dem Titel *Naturerklärung und Psyche* veröffentlicht wurde.

Trotz seiner Bemühungen konnte Wolfgang Pauli nie herausfinden, warum elektrische Gerätschaften in seiner Gegenwart versagten oder gar zu Bruch gingen. Auch die magische Zahl, mit der sich möglicherweise die Weltformel hätte aufstellen lassen, blieb ihm verborgen. Beide Rätsel beschäftigten ihn bis an sein Lebensende, das leider viel zu früh kam. Im Alter von 58 Jahren starb Pauli nach kurzer, schwerer Krankheit im Rotkreuzspital in Zürich – in Zimmer 137.

KAPITEL 3

DIE UNWAHRSCHEINLICHE GESCHICHTE VON YOUYOU TU

DIE THEORIE CHINESISCHER MEDIZIN

Nur ein Name sticht unter den naturwissenschaftlichen Nobelpreisträgern heraus: Youyou Tu. Erstens ist er einzigartig. Youyou Tu ist mit an Sicherheit grenzender Wahrscheinlichkeit die einzige Person, von der Sie je gehört haben, die nach einem Tierlaut benannt wurde. Ihr Vorname – Youyou – wurde durch eine Zeile aus dem Lieblingsgedicht ihres Vaters inspiriert. Es stammt aus einer alten chinesischen Gedichtsammlung mit dem Titel *Das Buch der Lieder*. Die Zeile lautet: 呦呦鹿鸣, 食野之蒿 (das bedeutet so viel wie: Hirsche rufen

»youyou«, während sie wilden Beifuß äsen). Das Wort, das er aus diesem Satz herauslöste und zur Namensgebung für seine Tochter nutzte, war »youyou« (das Rufen der Hirsche).

Tus Name ist jedoch auch in anderer Hinsicht besonders. Sie war nicht nur die erste chinesische Wissenschaftlerin, die jemals den Nobelpreis in der Kategorie Physiologie oder Medizin erhielt, nein, sie bekam ihn außerdem, obwohl sie in einer Disziplin arbeitete, die häufig als pseudowissenschaftlich angesehen wird: traditionelle chinesische Medizin. Und dann auch noch ohne Doktortitel.

Wir halten es für ganz natürlich, irgendwie schlauer und besser zu sein als die Zivilisationen der Vergangenheit, und

Youyou Tu bekam 2015 den Nobelpreis für die Entdeckung einer Behandlungsmöglichkeit von Malaria verliehen, von der sie in einem 1 600 Jahre alten Buch über traditionelle chinesische Medizin gelesen hatte, das unter dem Titel *Emergency Prescriptions to Keep Up One's Sleeve* [Notfallmedizin für jeden Anlass] bekannt ist.

denken, dass ihr Wissen uns nichts Neues zu bieten habe. Wir machen uns eher über die Vergangenheit lustig, als uns aktiv damit auseinanderzusetzen, und belächeln jene, die ihr Leben auch heute noch nach für uns überholten Ideen leben. Auch wenn wir anerkennen, dass diese Ideen die Menschheit dorthin gebracht haben, wo wir heute sind, kommt es uns vor, als lebten wir in einer weiterentwickelten und fortschrittlicheren Epoche.

Und selbst wenn viele Wissenschaftler denen zu Dank verpflichtet sind, die in der Vergangenheit etwas geleistet haben, glauben sie dennoch daran, dass diese Protowissenschaften (wie etwa Alchemie oder traditionelle chinesische Medizin) ausrangiert und nicht länger praktiziert werden sollten.

Vermutlich hätte ich das auch so gesehen, gäbe es da nicht die Geschichte von Youyou Tu.

Geboren 1930 in Ningbo interessierte sich Tu erstmalig im Alter von 16 Jahren für ein Medizinstudium, nachdem sie sich mit Tuberkulose infiziert hatte und zwei Jahre lang im Krankenhaus liegen musste. Um Heilmethoden für derartige Krankheiten zu finden, bewarb sie sich für ein Studium der Pharmazie an der Medizinischen Universität Peking. Nach ihrem Abschluss arbeitete sie in der Chinesischen Akademie für traditionelle chinesische Medizin. Sie wurde darin ausgebildet, Heilpflanzen zu klassifizieren, und spezialisierte sich auf die Extraktion ihrer Wirkstoffe und die Bestimmung ihrer chemischen Zusammensetzung. Zur selben Zeit begann sie sich auch für westliche Ansätze zu interessieren, ein durchaus riskantes Manöver. Die 1950er- und 1960er-Jahre waren für Wissenschaftler in China keine gute Zeit – als Forscherin gehörte Youyou Tu in Mao Zedongs Regime in die »neun schwarzen Kategorien«, denen zufolge Intellektuelle als gefährlich galten. Viele von ihnen wurden getötet oder von ihren Familien getrennt und in Arbeits- oder Umerziehungslager geschickt. Als die Kommunistische Partei schließlich kam, um Tu zu holen, ging es allerdings nicht darum, sie an ihrer Arbeit zu hindern, sie sollte vielmehr an einer Geheimoperation mitwirken.

PROJEKT 523

1967 bildete der Parteiführer Mao eine geheime Task Force unter dem Namen »Projekt 523«, deren Ziel es war, ein Medikament zur Behandlung von Malaria zu finden. Chinesische Streitkräfte in Nordvietnam wurden massenweise von der Krankheit heimgesucht, und der Wirkstoff Chloroquin, der viele Jahre über gute Dienste geleistet hatte, konnte nicht mehr verwendet werden, da der Parasit resistent dagegen geworden war. 1969 wurde Tu zur Verantwortlichen der Task Force erklärt, da sie sowohl über modernes pharmazeutisches Wissen als auch über Kenntnisse traditioneller chinesischer Medizin verfügte. Als sie ihre Arbeit aufnahm, gab es über ganz China verteilt 50 geheime Labore, die alle an der Entwicklung einer wirksamen Behandlung der Krankheit arbeiteten.[*]

---

[*] Malaria gehört zu den ältesten Feinden der Menschheit. Berichte aus dem antiken Griechenland und China deuten darauf hin, dass regelmäßig wiederkehrende Malariafiebererkrankungen bis ins Jahr 1000 v. Christus nachgewiesen werden können. Dem griechischen Geschichtsschreiber Herodot zufolge wurde den Arbeitern, die am Bau der Pyramiden in Ägypten beteiligt waren, Knoblauch verabreicht, um die Erkrankung fernzuhalten. Tatsächlich ist Malaria älter als die Menschheit – Spuren davon wurden in über 30 Millionen Jahre alten Mücken gefunden, die im *Jurassic-Park*-Stil in Bernstein eingeschlossen waren. Die Menschen bekämpfen seit 10 000 Jahren Malaria. Sie lässt sich auf allen Kontinenten mit Ausnahme der Antarktis nachweisen und ist Schätzungen zufolge für fünf Prozent der Todesfälle der gesamten Menschheit bisher verantwortlich.

Tu begann mit ihren Nachforschungen zu einer Zeit, als bereits 240 000 chemische Verbindungen untersucht worden waren, von denen sich keine als effektiv herausgestellt hatte. Wie standen also ihre Chancen, etwas Brauchbares zu finden? Tu entschied sich für eine unorthodoxe Herangehensweise, sie suchte in den medizinischen Schriften der chinesischen Antike. Vielleicht, so glaubte sie, war ja ein Heilmittel gegen Malaria in einem der alten Rezeptbücher für traditionelle chinesische Medizin aus der Han-, Zhou- oder Qing-Dynastie zu finden. Die folgenden zwei Jahre bereiste Tu China, traf sich mit Heilkundigen, las alte medizinische Manuskripte und sammelte ihre gesamten Erkenntnisse in einem Buch, das sie *A Collection of Single Practical Prescriptions for Anti-Malaria* [Sammlung praktischer Rezepte gegen Malaria] nannte. Das Buch füllte sich schnell. Auf ihrer Suche nach einem Heilmittel extrahierte sie 380 Wirkstoffe aus 200 Kräutern, die sie in über 2 000 traditionellen Rezepten gefunden hatte.

Tus Bemühungen zahlten sich bemerkenswerterweise endlich aus, als sie in einem 1 600 Jahre alten Buch, das unter dem Titel *Emergency Prescriptions to Keep Up One's Sleeve* [Notfallmedizin für jeden Anlass] bekannt ist, ein Rezept gegen »wiederkehrendes Fieber« fand. Diesem zufolge sollte ein Büschel einjähriger Beifuß (*Artemisia annua*) in heißes Wasser getaucht und dieses sodann getrunken werden.

Tu und ihr Team versuchten daraufhin, den Wirkstoff aus dem Beifuß zu extrahieren, was anfänglich auch vielversprechend aussah, allerdings waren die Ergebnisse unbeständig. Es brauchte eine ganze Weile, bis Tu und ihr Team herausfanden, warum es manchmal funktionierte und andere Male nicht. Dabei stellten sie etwa fest, dass insbesondere die Blätter wirksam waren, die Stängel hingegen nicht, aber es waren auch nicht alle Blätter, sondern nur spezielle, die zu einer bestimmten Zeit wuchsen, kurz vor der Blüte. Aber selbst dann war es ein Glücksspiel. Frustriert wandte sich Tu auf der Suche nach Rat erneut den alten Büchern zu und fand eine Antwort in einem anderen Text, der 340 v. Christus verfasst worden war: Das Wasser, in das die Blätter getaucht werden sollten, musste kalt sein, nicht heiß, stand dort – und genau das machte den Unterschied, der Millionen Leben retten sollte.

Tu und ihr Team experimentierten mit lauwarmem Ether, um den Wirkstoff zu lösen, und entdeckten, dass bei der Testung an Affen und Mäusen eine 100-prozentige Genesungsrate vorlag. Jetzt mussten sie den Wirkstoff nur noch an Menschen testen, um zu sehen, ob er bei ihnen auch seine Wirkung entfaltete. Bevor sie jedoch Versuche am Menschen durchführen konnte, musste sie nachweisen, dass der Wirkstoff keine unerwünschten Nebenwirkungen mit sich brachte. Da es jedoch bis dato noch keine klinischen Studien in China gab, bekam sie keine Erlaubnis, um diese für ihre Forschung so wichtigen Untersuchungen durchzuführen. Daher kam es, dass Tu und zwei ihrer Kollegen, wie so viele herausragende Wissenschaftler vor ihnen, den Wirkstoff im Selbstversuch testeten. Da dabei keine Nebenwirkungen festgestellt wurden, konnte die Arznei schließlich auf den Markt gebracht werden.*

---

* Das Kuriose an dem Malariaimpfstoff ist jedoch, dass wir ihn erfolgreich vor dem Parasiten versteckt haben. Die zur Bekämpfung von Malaria entwickelten Impfstoffe sind so raffiniert, wie die Krankheit tödlich ist. Die Art des verschriebenen Impfstoffes hängt von dem Stadium der Erkrankung des Patienten ab – das Problem ist jedoch, den Parasiten davon abzuhalten, sich an die durch den Impfstoff hervorgerufenen Antikörper anzupassen, die ihn neutralisieren, oder zu mutieren und den momentan wirksamen Schutz zunichtezumachen. Zur Lösung dieses Problems ist eine Impfung mit verschiedenen Medikamenten notwendig, die, allgemeinverständlich formuliert, neben dem Impfstoff noch verschiedene »Lockmittel« enthält, damit der Parasit Schwierigkeiten hat, den Angreifer zu identifizieren.

呦呦鹿鸣，食野之蒿

Da das Projekt geheim gehalten wurde, bekam Youyou Tu erst vier Jahrzehnte nach ihrer Entdeckung die verdiente Wertschätzung. Erst 2015 wurde sie für diesen großartigen Beitrag mit dem Nobelpreis ausgezeichnet. Eine unglaubliche Geschichte, die sich so eigentlich gar nicht hätte ereignen dürfen. Wissenschaftler auf der ganzen Welt suchten nach einem Mittel, gefunden wurde es jedoch von einer Person, die gar nicht über Forschungsexpertise verfügte und an einem vermeintlich *falschen* Ort nach der Lösung des Problems suchte. Ihre Geschichte kann als Lektion in Demut gegenüber der Vergangenheit verstanden werden und als Erinnerung daran, den Stimmen unserer Vorfahren zuzuhören und diese nicht leichtfertig als primitiv oder irrelevant abzutun.

Für Tu bedeutete es allerdings noch etwas anderes. Viele Menschen denken, dass sie zu einem bestimmten Zweck auf diesem Planeten leben. Sie wollen etwas Besonderes erreichen, etwas, das ihrem Schicksal entspricht. Genau darüber dachte nun auch Tu nach.

In dem Gedicht, aus dem Tus Vater ihren Vornamen hatte, kaut der rufende Hirsch auf einer einzigen Pflanze. Aus den Abertausenden verschiedenen Pflanzen, die es auf der Erde gibt, frisst er genau diejenige, die Tu schließlich als Mittel gegen Malaria finden sollte: Es ist der einjährige Beifuß. Die Verbindung ihres ganzen Lebens mit dem Beifuß, sinnierte Tu, werde wohl als interessanter Zufall verstanden werden.[*]

---

[*] Ein weiterer Zufall: Der von Tu gefundene Wirkstoff wurde von westlichen Wissenschaftlern *Artemisinin* genannt. Der Stamm des Wortes kommt von der griechischen Göttin Artemis, die immer mit einem Tier abgebildet wird – einem Hirsch.

KAPITEL 4

DER EXORZISMUS VON RINGO STARR

DIE THEORIE VOM TEUFEL IN DER MUSIK

Als Ringo Starr 2015 in Anerkennung seines Beitrags zur Geschichte der Rockmusik in die Rock and Roll Hall of Fame aufgenommen wurde, hielt Paul McCartney im Rahmen der Feierlichkeiten eine Rede, auf die ein Video mit Grußworten von einigen der größten lebenden Schlagzeuger der Welt folgte. Dave Grohl (Nirvana), Questlove (A Tribe Called Quest), Chad Smith (Red Hot Chili Peppers) und Stewart Copeland (The Police) priesen den genialen und einzigartigen Stil des Ex-Beatles und beschrieben ihn als ikonisch, geradezu draufgängerisch, als einen der besten Drummer aller Zeiten. McCartney schilderte in seiner Rede den ersten Gig der Beatles mit Ringo als kurzfristig eingesprungenem Ersatzdrummer: »Und ich stand da und sah erst zu John rüber, dann zu George, und der Ausdruck auf unseren Gesichtern war so ›Was zum … was ist das?‹ Und das war der Moment, der eigentliche Beginn der Beatles.«

Als Ringo dann für seine Rede auf die Bühne kam, dankte er vielen Menschen, die ihn auf seinem Weg begleitet hatten: Bandmitglieder, Manager, Angehörige, Plattenfirmen und Musikerkollegen. Ein nicht ganz unbedeutender Name fehlte allerdings auf der Liste. Die Frau, die im Grunde für seinen unvergleichlichen Schlagzeugstil verantwortlich war, wurde an diesem Abend nicht erwähnt: seine Großmutter Annie Bower, aka die Voodoo-Queen von Liverpool.

DIE VOODOO-QUEEN VON LIVERPOOL

Nur wenige Menschen wissen, dass der einzigartige Stil des Ex-Beatles auf die wiederholten Exorzismen zurückzuführen ist, die seine Großmutter an dem noch jungen Ringo vornahm. Ich selbst kam erst darauf, als ich das Buch des Beatles-Experten Mark Lewisohn las, die Jahrhundertbiografie mit dem Titel *The Beatles: All These Years*, das sehr wahrscheinlich umfassendste Porträt der Band überhaupt.* Leider gibt es in dem Buch nur spärliche Informationen, wie diese Exorzismen abliefen. Bekannt ist jedoch, dass sie begannen, als Ringos Großmutter entdeckte, dass ihr Enkel Linkshänder war, und daraus schloss, dass er vom Teufel besessen sein musste (oder möglicherweise auch von Hexen, sagt Lewisohn). Die Exorzismen sollten Ringo von den Fesseln des Teufels befreien und ihn zu einem Rechtshänder machen. Ringo zufolge war seine Groß-

---

* Die erweiterte Fassung ist besonders empfehlenswert, ein unfassbar detailreiches Werk mit 1728 Seiten, das mit der Veröffentlichung der ersten Single der Beatles endet. Der zweite Band sollte irgendwann in diesem Jahrzehnt fertig werden.

mutter Annie Bower, die Voodoo-Queen von Liverpool, eine moderne Hexe, die in Merseyside nicht nur für ihre Heilmittel und Tränke bekannt war, sondern auch dafür, ihren Nachbarn und Freunden den Teufel auszutreiben.

Als Kind war Ringo oft krank. Mit sechs zog er sich nach einem Blinddarmdurchbruch eine Bauchfellentzündung zu und fiel in ein mehrtägiges Koma. Drei Mal bescheinigten die Ärzte seiner Mutter, der Junge werde die Nacht nicht überleben, aber er schaffte es jedes Mal und verbrachte die darauffolgenden sechs Monate im Krankenhaus. Kurz vor seiner Entlassung kam es allerdings zu einem Unfall, bei dem Ringo aus dem Bett fiel und seine Wundnähte aufrissen. Das Ergebnis: weitere sechs Monate Krankenhaus. Einige Jahre später, im Alter von 13 Jahren, kämpfte Ringo gegen Tuberkulose. Glücklicherweise war Streptomycin gerade erfunden worden, und so konnte er sich in einem Sanatorium erholen.

Bei seinem zweiten Krankenhausaufenthalt besuchte ihn ein Lehrer und brachte Maracas, Tamburine und andere Perkussionsinstrumente mit. Es war Liebe auf den ersten Schlag. Ringo griff bei den darauffolgenden Besuchen des Lehrers immer wieder zu den Schlaginstrumenten und entdeckte die Drums für sich.

Nach seiner Entlassung zog Ringo bei seiner Voodoo-Oma ein, die seine Linkshändigkeit im Blick behielt. »Meine Großmutter war überzeugt davon, dass es ein schlechtes Omen war, und erzog mich zum Rechtshänder um«, erklärte Ringo Jahre später dem Talkshow-Moderator Conan O'Brien.[*]

Etwa zu dieser Zeit bekam Ringo auch sein erstes Schlagzeug geschenkt, ein Rechtshänder-Schlagzeug für den umerzogenen Linkshänder. Später jedoch, nachdem er bei seiner Oma ausgezogen war, nutzte er wieder vermehrt seine linke Hand und machte sie zur Führungshand. Allerdings baute er sein Drumset nicht um, sondern ließ es einfach so, wahrscheinlich weil er sich daran gewöhnt hatte, wie seine Füße die Hi-Hat und die Bassdrum bedienten. Im Grunde spielte er also verkehrt herum, was zu seinem unverkennbaren Stil beitrug, den viele Drummer den »Ringo-Swing« nennen. Abe Laboriel Jr., der Tourdrummer von Paul McCartney, beschreibt diesen Stil etwa als »rotzig und sumpfig, ein Sound, als würde jemand die Treppe runterfallen«. Heute wird mit seinem Namen ein besonderer Drumstil bezeichnet. »Gib mir einen Ringo!«, werden nicht wenige Studioschlagzeuger bei Aufnahmen gebeten. Es ist der Stil, mit dem sich die Beatles

---

[*] Linkshändigkeit wird seit Jahrhunderten mit dem Teufel in Verbindung gebracht. Lange Zeit wurden Kinder in der Schule von dieser »Sünde« geheilt, in dem man sie zwang, mit der rechten Hand zu schreiben, was Ringo bis zum heutigen Tag tut.

von den anderen Bands ihrer Zeit abgehoben haben und der ihnen ihren *Beat* gab … und alles dank einer Exorzistin aus Merseyside.

Ringo ist jedoch nicht der Einzige der Beatles, der Begegnungen biblischer Art hatte.

DER MESSIAS, DER ZUM TEE BLIEB

Am 9. Februar 1967 klopfte ein Mann an die Tür von Paul McCartneys Londoner Wohnung, der von sich behauptete, Jesus Christus zu sein.

»Na ja, dann sollte ich Sie wohl besser reinlassen«, erwiderte Paul. Er war zwar nicht allzu überzeugt davon, Jesus Christus persönlich vor sich zu haben, wollte es allerdings auch nicht kategorisch ausschließen, weshalb er ihn bei sich willkommen hieß. »Ich dachte, wahrscheinlich ist er's nicht, aber wenn er's ist, will ich mir hinterher nicht nachsagen lassen, ich hätte ihn abgewiesen«, erklärte McCartney später.[*]

McCartneys Schilderung zufolge trank er mit Jesus eine Tasse Tee und unterhielt sich mit ihm. Irgendwann eröffnete Paul ihm, dass er zu einer Aufnahmesession der Beatles müsse, und lud ihn ein, mitzukommen.

So landete Jesus mit den Fab Four im Studio und lauschte, während diese ihren neuesten Song, »Fixing a Hole«, für ihr nächstes Album *Sgt. Pepper's Lonely Hearts Club Band* einspielten.

---

[*] Diese Zitate stammen aus: Miles, Barry: *Paul McCartney: Many Years From Now*, übersetzt von Carl-Ludwig Reichert und Fritz Schneider. Rowohlt, 1998, S. 368.

Leider gibt es keinerlei Informationen darüber, wie es mit dem Messias weiterging.[*]

*

Ganz ähnlich wie der Exorzismus von Ringo Starr ist auch McCartneys Nachmittag mit dem Messias nur selten in Interviews zur Sprache gekommen, was etwas überraschend ist. Schließlich wurde das Leben dieses Mannes in zahllosen Dokus, Artikeln und Büchern bis ins letzte Detail seziert. Wie kann es da sein, dass niemand wissen wollte, worüber McCartney und Jesus sich unterhielten? Löcherte er seinen himmlischen Bekannten vielleicht mit tiefsinnigen Fragen? Hatte McCartney später mystische Begegnungen ähnlichen Kalibers?[**]

Paul McCartney ist wohl der erfolgreichste Musiker aller Zeiten. Mit den Beatles, mit Wings und als Solokünstler hat

---

[*] Das war bereits das zweite Mal, dass Paul McCartney jemanden traf, der sich für Jesus hielt. Tom Bramwell, ein guter Freund der Band, erzählte, wie McCartney, der Rest der Beatles und ihr Management-Team einige Jahre zuvor ins Büro zitiert worden waren, um sich eine Ansprache von John Lennon anzuhören. Dieser hatte am Vorabend mit seiner Frau Cynthia und seinem Schulfreund Pete Shotten LSD genommen und daraufhin einen Messias-Komplex entwickelt. Er hatte Bramwell gebeten, möglichst schnell ein Treffen zu organisieren, um die anderen einzuweihen. »Ich muss euch allen etwas sehr Wichtiges mitteilen«, begann John. »Ich bin Jesus Christus. Ich bin wieder unter den Lebenden. Es gefällt mir hier.« Ringo darauf: »Alles klar. Das Meeting ist hiermit vertagt. Los, lasst uns was essen gehen.« Im Restaurant kam ein Fan auf Lennon zu und sagte, er liebe dessen Musik. »Weißt du, ich bin eigentlich Jesus Christus«, erwiderte Lennon. »Macht nichts«, sagte der Mann darauf, »ich mochte deine letzte Platte trotzdem.« Diese Anekdote stammt aus: Bramwell, Tony: *Magical Mystery Tours: My Life With The Beatles*, St. Martin's Griffin, 2006.

[**] Mir persönlich erscheint es nur logisch, dass der Messias, wenn überhaupt, auf dem Höhepunkt der Karriere der Beatles auf die Erde zurückkehrt und dort zu den Aufnahmesessions des unbestritten besten Musikalbums aller Zeiten eingeladen wird. Es ist das perfekte Manöver, um dem Herrn das Leben auf der Erde wieder schmackhaft zu machen.

er Songs hervorgebracht, die insgesamt über 30 Jahre in den Charts waren. Er hat mehr Nummer-eins-Hits produziert als irgendjemand sonst. Im Allgemeinen gilt er als herzlicher Familienmensch, der gern über Vegetarismus und Weltfrieden philosophiert, wenn er nicht gerade über seine Musik redet. Wer sich aber die Zeit nimmt, seine Interviews etwas genauer unter die Lupe zu nehmen, wird dort ein Sammelsurium von wunderbar durchgeknallten Vorstellungen finden. So behauptete er einmal, während eines LSD-Trips, den wahren Sinn des Lebens entdeckt zu haben (»Es gibt sieben Ebenen«, schrieb er auf einen Zettel, ohne sich später erinnern zu können, was das bedeuten sollte). Ein anderes Mal glaubte er, im Schlaf Songs von einer ihm unbekannten Quelle empfangen zu haben, wie etwa »Yesterday«. Überdies halten sich Gerüchte, dass McCartney insgeheim ein Interesse an Verschwörungstheorien hege, etwa in Bezug auf die Kennedy-Ermordung. Robert Groden zufolge, einem Autor, der für seine Bücher zu JFK-Verschwörungstheorien bekannt geworden ist, wollte McCartney den Soundtrack für den ersten großen Dokumentarfilm zu dem Thema schreiben. Die an dem Projekt beteiligten Verschwörungstheoretiker redeten ihm das Vorhaben jedoch aus, da sie der Meinung waren, dass er damit seine Karriere ruinieren könnte.

Mich persönlich interessieren jedoch McCartneys Berichte über seine angeblichen Kontakte mit dem Jenseits weitaus mehr. Er hat oft geäußert, an ein Leben nach dem Tod zu glauben. Als die drei verbleibenden Beatles 1995 im Studio waren, um einen neuen Song aufzunehmen, sei McCartney zufolge der Geist von John Lennon bei ihnen gewesen, nicht metaphorisch, sondern live und in Farbe. Er habe mit ihnen über eine Methode Kontakt aufgenommen, wegen derer man die Beatles früher schon des Satanismus und der Manipulation junger Menschen beschuldigt hatte.

Und McCartney hat die notwendigen Beweise.

BACKMASKING

Die Beatles waren eine der ersten Bands, die eine Technik namens Backmasking einsetzten. Bei dieser Technik werden Sprachbotschaften rückwärts innerhalb von Liedern gespeichert, die dann beim normalen Abspielen keinen oder einen anderen Sinn ergeben. Die sogenannten Rückwärtsbotschaften lassen sich nur verstehen, wenn der Tonträger entgegen der vorgesehenen Richtung abgespielt wird. Als Erfinder des Backmasking gilt die Band The Eligibles, die 1959 einen Song namens »Car Trouble« veröffentlichte. Darin tauchen zwei Kauderwelsch-Passagen auf, die rückwärts abgespielt Folgendes ergeben: »And you can get my daughter back by 10.30, you bum!« [Und bring gefälligst bis halb elf meine Tochter zurück, du Nichtsnutz!] und »Now, lookit here, cats, stop running these records backwards« [Schaut mal hier, Leute, hört auf, diese Platten rückwärts abzuspielen].

Richtig populär wurde diese Technik allerdings erst nach Veröffentlichung des Beatles-Albums *Revolver*, auf dem sie in Songs wie »Tomorrow Never Knows« und »I'm Only Sleeping« eingesetzt wurde.

Bis Ende der Siebzigerjahre war Backmasking nichts weiter als ein kleines Gimmick für die Fans, doch schon bald galt es als finsterer Plan zur Manipulation der Jugend. Christliche Fundamentalisten behaupteten, Musiktonträger würden durch Backmasking mit Botschaften Satans versehen, die sich dann im Unterbewusstsein der Hörer festsetzen – eine Art Werbung für den Teufel. Auf diese Weise würden mustergültige Kinder zu degenerierten Teufelsanbetern. Gerüchte wurden laut, dass einige Musiker sogar direkt mit der Church of Satan zusammenarbeiteten, teilweise sogar mit Beelzebub persönlich.

Tatsächlich war Backmasking in diesem Kontext kein vollkommen neues Phänomen, da das Rückwärtsabspielen von Schallplatten auch schon früher in okkulten Zusammenhängen genutzt wurde. Der britische Okkultist Aleister Crowley zum Beispiel, auch bekannt als der »böseste Mann der Welt« und Teil der Collage des *Sgt.-Pepper*-Covers, hat in seinem 1913 veröffentlichten Buch *Magick** eine entsprechende Praxis empfohlen. Als angehender Zaubermeister solle man sich so lange rückwärts abgespielte Schallplatten anhören, bis der Klang einem irgendwann natürlich und gar angenehm vorkomme.

DER TEUFEL UND DIE MUSIK – EINE JAHRHUNDERTEWÄHRENDE ALLIANZ

Der Musik wurde schon immer eine große Nähe zum Satanismus unterstellt. Angefangen beim Bluesgitarristen Robert Johnson, der dem Teufel seine Seele verkauft haben soll, um von diesem im Gegenzug in die Geheimnisse des Gitarrenspiels eingeweiht zu werden, bis hin zu Led Zeppelin, von deren Mitgliedern behauptet wird, dass sie in okkulten Ritualen böse Geister heraufbeschworen haben sollen. Heute gelten Ge-

---

* Anm. d. Übers.: In Deutschland erschien Crowleys Buch in unterschiedlichen Versionen, beispielsweise 1996 unter dem Titel *Magick in Theorie und Praxis*, übersetzt von Ralf Löffler, im Phänomen-Verlag.

rüchte über Verbindungen zum Fürsten der Finsternis im Allgemeinen als willkommene PR für Musiker. Früher jedoch, als derartige Behauptungen noch sehr viel wörtlicher genommen wurden, konnten sie zu einem ernsthaften Problem für die betroffenen Künstler werden.

So sah sich der italienische Violinist Niccolò Paganini 1828 gezwungen, einen an ihn gerichteten Brief seiner Mutter zu veröffentlichen, um der Öffentlichkeit zu beweisen, dass seine Eltern Menschen waren und die Gerüchte, er sei der Sohn des Teufels, keine Substanz hatten.

Paganini wurde 1782 in Genua geboren, begann mit sieben Jahren, Violine zu spielen, und ging schon mit 15 Jahren auf Solotourneen. Seine Fähigkeiten waren geradezu meisterlich: Er konnte zwölf Noten pro Sekunde spielen und mit einer Hand über drei Oktaven greifen. Er war jedoch nicht nur großartig, sondern beizeiten auch großspurig. Als er das Concerto Nr. 1 für Violine und Orchester aufführte, spielte er es nicht wie angekündigt in D-Dur, sondern gab kund, das Stück in Es-Dur darzubieten, eine für Violinisten sehr schwierige Aufgabe. Nicht wenige waren der Ansicht, Paganinis Virtuosität läge jenseits des Menschenmöglichen und er selbst müsse entweder der Sohn des Teufels sein oder aber zumindest einen Handel mit ihm eingegangen sein.

Je bekannter er wurde, desto öfter hörte man, dass auf der Bühne der Teufel in ihn gefahren sei. Überdies machten noch weitaus finsterere Gerüchte über ihn die Runde. Unter anderem hieß es, er habe eine Frau ermordet und benutze deren Eingeweide als Saiten für sein Instrument. Bei genauem Hinhören, so meinten einige, könne man während seiner Konzerte die Schreie der Frau vernehmen, deren Seele in den Saiten gefangen sei.

Historisch gesehen gilt die Violine seither als Instrument des Teufels. Paganini war nicht der erste Musiker, dem unterstellt wurde, durch sein Arbeitsmittel mit dem Bösen in Verbindung zu stehen. Die Violin-Sonate in g-Moll, auch bekannt als die Teufelstriller-Sonate, ist eine im Jahr 1730 komponierte Sonate für Solo-Violine und Basso continuo des italienischen Barockkomponisten und Geigers Giuseppe Tartini. Sie dauert rund 15 Minuten und gilt als technisch anspruchsvoll, der Legende nach handelt es sich um ein Gemeinschaftswerk von Tartini und dem Teufel.

Tartini schrieb wohl dazu, er habe in einer Nacht des Jahres 1713 geträumt, einen Pakt mit dem Teufel geschlossen und diesem seine Seele überlassen zu haben.

BACKMASKING TEIL 2

Die Theorie satanischer Rückwärtsbotschaften auf Tonträgern fand große Verbreitung und bewegte die Regierung des US-Bundesstaats Kalifornien zu einem Gesetzesentwurf, um das Backmasking zu verbieten. Es wurde argumentiert, dass diese Technik ohne das Wissen oder die Einwilligung des Hörenden sein Verhalten manipuliere und ihn in einen Jünger des Antichristen verwandeln könne. Nach Annahme des Gesetzesentwurfs mussten Tonträger, die Backmasking enthielten, explizit darauf hinweisen, um nicht den Straftatbestand der Verletzung von Persönlichkeitsrechten zu erfüllen.

Im Bundesstaat Arkansas wurde ein ähnliches Gesetz beschlossen, demzufolge die betreffenden Platten mit einem Warnhinweis versehen werden mussten, der in etwa wie folgt lautete: Warnung: Dieser Tonträger enthält als Backmasking bekannte Rückwärtsbotschaften, die beim Abspielen unbewusst wahrgenommen werden können. In dieser Zeit wurden allerlei bizarre Warnhinweise auf Tonträger geklebt, unter anderem etwa der Vermerk »Parental Advisory – Explicit Lyrics« [Hinweis für Eltern: anstößige Liedtexte] auf das Frank-Zappa-Album *Jazz from Hell* – obwohl dies eine reine Instrumentalplatte war. Dieses Gesetz wurde jedoch nie durchgesetzt, da es von einem Gouverneur mit großer Zukunft, nämlich Bill Clinton, vor den Senat gebracht und schließlich doch abgelehnt wurde.*

Natürlich gab es keine stichhaltigen Beweise dafür, dass Rückwärtsbotschaften auf Tonträgern das Verhalten oder die Gedanken von Jugendlichen beeinflussen könnten. Einem renommierten Autor zufolge gab es jedoch auf einem Beatles-Album eine solche Botschaft, die ein Menschenleben rettete.

LET ME TAKE YOU DOWN ... ZUR NOTAUFNAHME

Der Science-Fiction-Autor Philip K. Dick ist den Beatles zu großem Dank verpflichtet. Schilderungen des Autors zufolge haben die Musiker das Leben seines Sohnes gerettet, da in ihrem Song »Strawberry Fields Forever« eine ernste Erkrankung des Jungen diagnostiziert wurde.

Dick war ein äußerst produktiver Schriftsteller, der es in einer relativ kurzen Schaffensphase auf 44 Romane und Hunderte Kurzgeschichten brachte, von denen einige für Film und

---

* Interessanterweise scheinen die Warnhinweise für anstößige Liedtexte in nicht unwesentlichem Maße auf die Initiative von Clintons Vize Al Gore zurückzugehen, dessen Frau Tipper sich dafür einsetzte, dass die Hinweise verpflichtend wurden. Es heißt, sie habe mit ihrer Tochter beim Hören des Prince-Songs »Darling Nikki« Passagen über Masturbation entdeckt.

Fernsehen adaptiert wurden – unter anderem *Minority Report*, *Blade Runner* und *The Man in the High Castle**.

Ab 1974 behauptete Dick, Botschaften von Außerirdischen zu empfangen, die ihm direkt ins Gehirn geschickt würden. Den Rest seines Lebens brachte er mit der Analyse dieser Botschaften zu. Wer hatte sie gesandt? Woher im Universum stammten sie? Nach seinem Tod wurden seine Theorien zu dem Thema, die über 8 000 handschriftlich ausgearbeitete Seiten umfassten, unter dem Titel *The Exegesis of Philip K. Dick* [Die Exegese von Philip K. Dick] veröffentlicht.

Dick berichtet darin, zum ersten Mal eine dieser Botschaften erhalten zu haben, als er gerade den Beatles-Song »Strawberry Fields Forever« hörte und dabei ein »rosafarbenes Licht« in seinen Schädel eindrang. Dazu schreibt er in *The Exegesis*:

»Ich stehe auf. Ich öffne meine Augen, weil der Liedtext davon handelt, mit geschlossenen Augen durchs Leben zu gehen. Ich schaue zum Fenster, werde von Licht geblendet, habe plötzlich Kopfschmerzen. Ich schließe die Augen & sehe dieses seltsame, erdbeereisfarbene Rosa. Im selben Augenblick wird Wissen in mein Hirn transferiert. Ich gehe ins Schlafzimmer, wo Tessa gerade Chrissy anzieht & wiederhole die Botschaft, die mir gerade übermittelt wurde: Dass er einen unentdeckten Geburtsfehler hat & sofort zum Arzt muss & eine Operation braucht.«

Interessanterweise wird Dick vom konsultierten Arzt nicht abgewimmelt, sondern dieser gibt ihm recht. Bei seinem Sohn Chris-

---

* Anm. der Übers.: Die genannten Titel basieren auf Dicks folgenden Werken: *Der Minderheiten-Bericht, Träumen Androiden von elektrischen Schafen?* und *Das Orakel vom Berge.*

topher wird eine Hernie diagnostiziert, die ohne sofortige Behandlung zum Tod des Jungen geführt hätte. Dick schrieb dazu: »Gott hat über einen Beatles-Song mit mir kommuniziert.«

FREE AS A BIRD

Das vielleicht interessanteste Beispiel einer in einem Beatles-Song versteckten Botschaft hat mit der Band selbst zu tun. Fünfzehn Jahre nach Lennons Tod gingen die drei verbleibenden Beatles Paul McCartney, George Harrison und Ringo Starr noch einmal zusammen ins Studio, um zwei unveröffentlichte Solo-Songs von Lennon in Beatles-Stücke zu verwandeln. Die Wahl fiel auf »Free As A Bird« und »Real Love«.

Bevor Sie nun die nächsten Absätze lesen, möchte ich Sie bitten, das Buch kurz zur Seite zu legen und sich »Free As A Bird« anzuhören. Sie werden den Song auf allen einschlägigen Plattformen finden. YouTube, Spotify, was auch immer Sie nutzen, er ist überall. Hören Sie sich das Lied bitte unbedingt in voller Länge an, bis zum Ende. Anschließend lesen Sie an dieser Stelle weiter, lassen die Musik-App aber geöffnet, weil ich Sie am Ende dieses Kapitels bitten werde, sich das Stück noch einmal anzuhören.

Als die drei Ex-Beatles 1994 zur Aufnahme der Stücke zusammenkamen, herrschte anfangs eine eigenartige Stimmung, weil Lennon fehlte. McCartney schlug vor, einfach so zu tun, als wäre Lennon schon mit seinem Teil der Arbeit fertig und in den Urlaub gefahren, sodass es nun an ihnen, den restlichen drei Beatles, läge, die Songs zu vollenden. Während des Aufnahmeprozesses beschlich McCartney allerdings das Gefühl, Lennon wäre doch mit ihnen im Studio.

Kleinigkeiten brachten ihn immer wieder auf diesen Gedanken. Als die Gruppe sich für ein Foto an einem Baum vor dem Studio traf, lief plötzlich ein Pfau ins Bild. McCartney meinte zu den anderen, ob das nicht John gewesen sein könne. Als sie gerade dabei waren, die Aufnahme abzuschließen, schlug jemand vor, am Ende von »Free As A Bird« einen Ukulelen-Part einzubauen. Obendrein erlaubten sie sich noch ein Späßchen und versahen den Song mit einer Rückwärtsbotschaft.

Die Musiker baten das Produktionsteam, Sprachsamples aus Lennons Demo-Sessions aufzutreiben. Am Ende entschieden sie sich für einen Audioschnipsel, auf dem Lennon sagt: »Turned out nice again« [Ist doch wieder schön geworden]. Dieser Spruch passte hervorragend, da er dem britischen Sänger und Ukulelespieler George Formby zugeschrieben wird, den Harrison und Lennon bewunderten. Also bastelten sie mit dem Audioschnipsel herum und bauten ihn als kleine Überraschung für neugierige Fans in den Song ein.

Dann passierte etwas, das McCartney endgültig davon überzeugte, dass John Lennon tatsächlich der Aufnahme beiwohnte. Als die Band für das Mastering des Songs ins Studio zurückkehrte, bemerkte jemand etwas sehr Eigenartiges an der Rückwärtsbotschaft im Outro. Lennons rückwärts abgespielte Stimme produzierte keinen Kauderwelsch-Fetzen wie erwartet, sondern den klar und deutlich zu verstehenden Satz »Made by John Lennon« [geschrieben von John Lennon].

»Vollkommen unmöglich«, sagte McCartney. Und er hatte recht damit. Wie hoch stehen die Chancen, dass ein vollkommen willkürlich ausgewählter und rückwärts abgespielter Audioschnipsel verständliche Wörter, ja sogar einen vollständigen

Satz ergibt, der den Namen der sprechenden Person enthält?*
Für McCartney war es das Zeichen, auf das er gewartet hatte.
Er wusste nun, dass Lennon tatsächlich dort war. Durch die
Technik des Backmasking, die Lennon selbst mitentwickelt
hatte, war das tote Bandmitglied in ihren Kreis zurückgekehrt.
McCartney konnte zwar nicht sagen, ob viele Jahre zuvor der
echte Jesus mit ihm im Studio gewesen war, aber dass sein alter Kumpel John Lennon an diesem Tag unter ihnen weilte,
davon war er überzeugt.

»Du lieber Himmel, er sagt es wirklich!«, rief McCartney.
»Wir hätten in einer Million Jahre nicht erraten können, was
dieser Audioschnipsel ergibt, wenn man ihn rückwärts ab-
spielt. Vollkommen unmöglich. Das ist schon irgendwie magisch.«**

---

* Ein Freund von mir, Comedy-Autor und Beatles-Megafan Jason Hazeley, hat das
rückwärts abgespielte Audiosegment eingehend analysiert und entdeckt, dass
Lennons Stimme tatsächlich sagt: »It's a hit, made by John Lennon.«

** Mark Lewisohn, Geoff Baker: *It's exciting, it's shocking, it's frightening, it's sad, it's
happy and it's THE BEATLES ANTHOLOGY. Interview for Club Sandwich*, 1995,
Interview mit John Lennon

KAPITEL 5

WIE SCHÖN, SO VIEL WIRST DU SEHN ... IM NÄCHSTEN LEBEN

DIE THEORIE DER LETZTEN WORTE

Am 13. Juli 1930 strömten mehr als 10 000 Menschen in die Londoner Royal Albert Hall in freudiger Erwartung eines Auftritts des Schriftstellers Sir Arthur Conan Doyle. Es war nicht das erste Mal, dass Doyle in der ein oder anderen Rolle an diesem Ort tätig war – 1901 gehörte er hier zu den Juroren der weltweit ersten Meisterschaft im Bodybuilding und 1919 nahm er an einem Kongress der Spiritualists' National Union teil. Dieses Mal allerdings war der Anlass recht speziell, und nicht wenige waren skeptisch, ob Doyle tatsächlich auftauchen würde. Es war immerhin eine Gedenkfeier zu seinen Ehren. Sir Arthur Conan Doyle war sechs Tage zuvor gestorben.

Doyles Beerdigung hatte bereits zwei Tage zuvor stattgefunden und glich eher einer Gartenparty als einer Beisetzung. Doyle war in seinem Garten gestorben, er hatte im Moment seines Ablebens eine Blume in der Hand gehalten und in die Augen seiner Frau geschaut. Seine letzten Worte waren: »Du bist wundervoll.« Doyles Familie war nicht sonderlich betrübt angesichts des Ablebens, da die Familienmitglieder an ein Leben nach dem Tod glaubten. Doyles Sohn zum Beispiel war so sehr von diesem Konzept überzeugt, dass er zu Protokoll gab, sein Vater hätte genauso gut nach Australien ziehen können. Und so kam es, dass die Beisetzung auf dem Familienanwesen in Windlesham stattfand und alle Anwesenden Alltagskleidung trugen.

Am Tag der Gedenkfeier in der Albert Hall standen einige Stühle auf der Bühne, in einer Reihe angeordnet und dem Pu-

blikum zugewandt. Bis auf einen waren alle besetzt. Auf dem leeren Stuhl stand ein Schild: »Sir Arthur Conan Doyle«. Daneben saßen Doyles Ehefrau und andere Familienmitglieder sowie ein hellseherisches Medium namens Estelle Roberts und der Vorsitzende der Spiritualists' National Union, ein Mann mit dem passenden Namen George Craze.

Doyle war eine bekannte Figur in der Welt des Spiritismus gewesen. Als Agatha Christie vermisst wurde, bat der für den Fall zuständige Chief Constable von Surrey Doyle um Hilfe. Anstatt seine kombinatorische Gabe einzusetzen, mit deren Hilfe er zahlreiche Kriminalfälle gelöst hatte, beschaffte Doyle sich einen Handschuh der Vermissten und gab diesen an Horace Leaf weiter, mit der Bitte, bei der Suche zu helfen. Leaf war ein Kundiger der Psychometrie, also der Kunst, durch das Berühren lebloser Gegenstände die darin enthaltene Geschichte wahrzunehmen. Leaf nahm den Handschuh an sich, ohne den Namen der vermissten Person zu kennen, und sagte, Agatha sei in Sicherheit und man würde am Mittwoch von ihr hören. Überraschenderweise kam es dann auch so. Sie hatte sich zur Wasserkur in ein Hotel zurückgezogen und ihre Abende damit verbracht, zu einem Song namens »Happy Hydro Boys« zu tanzen.

Zum Auftakt der Gedenkfeier in der Albert Hall ging George Craze auf die Bühne und verkündete:

»Heute Abend werden wir ein Experiment wagen, für das uns unser verstorbener Führer den Mut eingepflanzt hat. Wir haben unter uns ein Medium, das versuchen will, uns von dieser Bühne aus Eindrücke zu geben. Einer der Gründe, warum wir gezögert haben, es in einer solch riesigen Veranstaltung zu versuchen, ist der furchtbare Druck, der da-

durch auf dem Medium lastet. Eine Versammlung von zehntausend Menschen übt sagenhafte Kräfte aus. Heute Abend wird Mrs. Roberts versuchen, uns einige Freunde nahe zu bringen, aber es wird das erste Mal sein, dass so etwas in einer so sagenhaft großen Versammlung versucht wird. Sie können mit Ihren Schwingungen helfen, wenn Sie in das nächste Lied einstimmen: ›Öffne meine Augen‹.«

Ein Artikel im *Time Magazine* beschrieb die Szene wie folgt: »Dann betrat die Hellseherin Mrs. Estelle Roberts die Bühne. Sie sagte, sie werde von fünf Geistern ›geschoben‹. Anschließend rief sie die Botschaften dieser Geister ins Publikum, und verschiedene Zuschauer bestätigten die Korrektheit der von ihr übermittelten Nachrichten.«**

Während Mrs. Roberts Kontakt mit verstorbenen Familienmitgliedern und Freunden einzelner Zuschauer aufnahm, wurde die Menge unruhig. Einige Gäste verließen die Veranstaltungshalle, andere höhnten und spotteten. Als die Hellseherin spürte, wie die Stimmung kippte, konzentrierte sie sich auf den freien Stuhl. »Er ist hier«, rief sie und machte dabei Bewegungen, die aussahen, als näherte sich ihr jemand. Dieser jemand soll laut Estelle Roberts Abendgarderobe getragen haben. Dann neigte Mrs. Roberts den Kopf zur Seite, sodass es den Anschein machte, als flüstere ihr gerade jemand eine wichtige Botschaft ins Ohr. Einige Zuschauer behaupteten später, die Hellseherin habe anschließend aufgeregt den Kopf zurückgezogen und sei dann zu Doyles Witwe hinübergeeilt, um

---

* Daniel Stashower, Sir Arthur Conan Doyle: *Das Leben des Vaters von Sherlock Holmes*, übersetzt von Michael Ross und Klaus-Peter Walter. Baskerville Bücher, 2008, S. 22.

** *Religion: Spiritualist Heyday* in *Time Magazine*, 1930 die Botschaft zu übermitteln. »Sir Arthur hat mir erzählt, dass jemand von Ihnen heute morgen in das Häuschen gegangen ist. Stimmt das?«, fragte sie. »Aber ja«, bestätigte Lady Doyle geschockt. »Die Nachricht lautet«, fuhr Mrs. Roberts fort. »Sag Mary ...«[*] Und mehr werden wir leider nicht erfahren, da genau in diesem Moment – nur Gott weiß, warum – der Organist der Royal Albert Hall zu spielen begann, sodass die folgenden Worte von Mrs. Roberts nicht zu verstehen waren.

Was hatte die Hellseherin gesagt? Wir wissen es nicht. Aber Lady Doyle erklärte später:

»Ich bin vollkommen überzeugt ... dass es sich um eine Nachricht von meinem Ehemann handelt. Ich bin mir absolut sicher, genauso sicher, wie ich mir darüber bin, dass ich gerade mit Ihnen spreche. Es ist eine positive Nachricht, eine aufmunternde und ermutigende Botschaft. Sie ist mir kostbar und heilig. Sie werden verstehen, dass sie nur für mich bestimmt war.«

WAS GESCHIEHT NACH DEM TOD?

Niemand weiß genau, was geschieht, wenn wir diesen Planeten verlassen. Die Vorstellung, gänzlich zu verschwinden, ist furchtbar. Aus diesem Grund finde ich Trost in Geschichten wie der von Conan Doyles angeblichem Post-mortem-Abenteuer. Ich persönlich glaube nicht, dass es nach diesem Leben noch irgendetwas anderes für uns gibt (ich hoffe allerdings, noch vor meinem Tod zu einer anderen Überzeugung zu ge-

---

[*] Stashower, S. 26.

langen). Aber ich höre immer wieder Geschichten, die mich ins Grübeln bringen.

Sam Kinison, der Rock-'n'-Roll-Stand-up-Comedian der 1980er-Jahre, war eigentlich dauerhigh. Das war genau sein Ding. Er konnte selbst im zugedröhnten Zustand Witze schreiben, Geschäftstreffen leiten und sogar Auto fahren – genau das tat er auch am Abend des 10. April 1992, als er auf dem Weg zu einer ausverkauften Vorstellung in einer Kleinstadt in Nevada war, high natürlich. Leider besitzen nur wenige Menschen Kinisons Talent, unter dem Einfluss bestimmter Substanzen ein Fahrzeug steuern zu können. So kam es, dass an jenem Abend ein betrunkener Teenager seinen Truck auf Kinisons Fahrbahn lenkte und frontal in den Wagen des Komikers krachte.

Kinisons Bruder Bill und Komikerkollege Carl LaBove waren in einem Van dicht hinter Kinison ebenfalls zum Auftrittsort unterwegs und sahen den Unfall. Sie hielten sofort an und liefen zum Unfallort, wo sie Kinison zwischen den Vordersitzen seines Wagens fanden. Sein Kopf war vom Aufprall auf die Windschutzscheibe von Schnittwunden übersät, aber ansonsten gab es keine sichtbaren Verletzungen. Die inneren Verletzungen des Comedians, eine dislozierte Halswirbelsäule und die geschädigten Blutgefäße im Bauchraum konnten sie natürlich nicht sehen. Kinisons Ehefrau, die auf dem Beifahrersitz gesessen hatte, war bewusstlos. Da sie beim Unfall nicht nach vorn geschleudert worden war, hatte sie keine schweren Verletzungen erlitten und sollte in einem Krankenhaus in der Nähe wieder gänzlich genesen.

LaBove zog Kinison aus dem Wagen und hielt seinen Oberkörper und Kopf in den Armen. »Ich will noch nicht sterben«, sagte Kinison wieder und wieder, den Blick fest auf seinen Kollegen gerichtet. »Ich will nicht sterben.«

»Du wirst nicht sterben«, antwortete LaBove, aber ganz offenbar hörte Kinison ihn nicht. LaBove wurde klar, dass Kinison nicht mit ihm, sondern mit jemand anderem sprach. Mit einer Person, die gar nicht da war und sich Kinisons Blick nach zu urteilen hinter LaBoves Schulter befinden musste. »Ich will nicht sterben«, fing Kinison wieder an. Doch dann hörte er plötzlich auf, und es machte den Anschein, als würde er einer erklärenden Stimme lauschen. »Aber warum?«, fragte er. Wieder stellte sich eine Pause ein. Wie auch immer die Antwort auf seine Frage ausgefallen war, sie schien Kinison Trost gespendet zu haben. LaBove sah, wie er über das ganze Gesicht lächelte und mit Vorfreude in der Stimme sagte: »Okay, okay, okay ...« Dann starb er in LaBoves Armen.

MIT WEM HAT SAM KINISON GESPROCHEN?

Letzte Worte faszinieren mich. Nicht so sehr rührende oder geistreiche Sprüche im Angesicht des Todes, sondern eher rätselhafte Äußerungen, die einen Blick in eine andere Welt eröffnen.* Als John Lennons Tante Mimi starb, so wird berichtet, starrte sie geistesabwesend in die Ferne und sagte: »Hallo, John.« Was mag sie gesehen haben?

---

* Ich muss allerdings zugeben, dass ich die Abschiedsworte des britischen Schriftstellers Roald Dahl sehr interessant fand. Als er im Krankenhaus im Sterben lag, war seine ganze Familie anwesend. Er sah sich um und sagte: »It's just that I will miss you so much.« [Ach, was werde ich euch alle vermissen.] Dann schloss er die Augen, um zu sterben. Unglücklicherweise beschloss die anwesende Krankenschwester, Dahl das Dahinscheiden mit einer Morphininjektion zu erleichtern. Als sie die Kanüle in die Vene schob, riss Dahl die Augen auf. »Oww, fuck!« [Aua, verdammte Scheiße!], rief er und starb.

Einige glauben, dass es sich bei dem, was Kinison und Auntie Mimi gesehen haben, um das Dritte-Mann-Phänomen gehandelt haben könnte. Hinter diesem Phänomen verbirgt sich die Vorstellung, dass in sehr gefährlichen und traumatischen Momenten ein Geist, ein Wesen, eine wie auch immer geartete Präsenz in Erscheinung tritt und dem Betroffenen Trost spendet. Der Begriff wurde von T. S. Eliot geprägt und stammt aus seinem Gedicht *Das wüste Land*.

Eliot schrieb diese Zeile auf Grundlage von Berichten über eine Antarktisexpedition von Ernest Shackleton, dessen in Tagebüchern festgehaltenen Erfahrungen und Erlebnisse aus dem Jahr 1919 unter dem Titel *South** veröffentlicht worden waren. Dabei hat sich Eliot wohl bei der Anzahl der an dieser Expedition beteiligten Forscher geirrt (vier statt drei), denn in Shackletons Aufzeichnungen heißt es: »Während jenes langen, zermürbenden Marsches von sechsunddreißig Stunden über die namenlosen Berge und Gletscher Südgeorgiens hatte ich oft das Gefühl gehabt, wir seien nicht zu dritt, sondern zu viert.«

Der Psychologe Peter Suedfeld hält das Phänomen für eine Anpassungsreaktion des Gehirns. Da es für gewöhnlich bei »geistig gesunden Menschen« auftrete, könne es nicht als psychotische Episode klassifiziert werden. Oft sind Feldforscher betroffen – von Astronauten bis zu Tiefseetauchern –, aber besonders eindrückliche Erfahrungen mit diesem Phänomen machen Bergsteiger, die häufig an die Präsenz dieser Erscheinungen glauben und aktiv mit ihnen in Kontakt treten. 1933 war der britische Bergsteiger und Forscher Frank Smythe bei einer Mount-Everest-Besteigung derart von der Anwesenheit

---

* Anm. d. Übers.: Die deutsche Übersetzung von Axel Monte erschien 2021 bei Edition Erdmann unter dem Titel: *Südwärts. Die Endurance Expedition*, S. 386.

einer weiteren Person überzeugt, dass er bei einer Pause seinen Proviant, einen Riegel Kendal Mint Cake, entzweibrach, um ihn mit seinem Begleiter zu teilen.

Der Bergsteiger Peter Hillary, Sohn des neuseeländischen Erstbesteigers des Mount Everest – Sir Edmund Percival Hillary –, der auch beide Pole erreicht hatte, hat ausführlich über dieses Thema geschrieben. Über das Dritte-Mann-Phänomen schrieb er im Kontext seiner Antarktisexpedition: »Oh ja. Sie sind immer da draußen. Ich sehe sie kommen und gehen … und ich weiß nicht, wie ich mich ihnen gegenüber verhalten soll.«[*] Hillary behauptet, auf einer seiner Reisen sei in einer Phase vollkommener Isolation seine Mutter, die 1975 bei einem Flugzeugunglück ums Leben gekommen war, neben ihm aufgetaucht. Während dieser Expedition habe sie sich mehrere Male zu ihm gesellt und ihn begleitet – genau wie andere alte Bekannte, zum Beispiel zwei verstorbene Freunde und Expeditionskollegen Hillarys. »Es war, als wäre sie gekommen, um mir Gesellschaft zu leisten. Sie schien echt und leibhaftig. Genau da. Fast ein wenig gruselig. Und doch irgendwie die normalste Sache der Welt, neben ihr durch die Natur zu gehen und mit ihr zu reden.«

Einerseits glaubte Hillary nicht daran, dass seine Mutter tatsächlich dort war, andererseits doch, wenn auch nur als Projektion seiner Gedanken. Das Phänomen wird sehr detailliert in dem Buch *Überleben in Extremsituationen: Das Phänomen des Dritten Manns* des kanadischen Autors John Geiger analysiert. Geiger ist überzeugt, das Phänomen trete nicht nur bei Expeditionsreisenden auf, sondern sei auch von vielen anderen Menschen beobachtet worden, etwa von den Menschen,

---

[*] Peter Hillary, John Elder: *In The Ghost Country*, Mainstream Publishing, 2004

die am 11. September 2001 aus den Twin Towers flüchteten. Geiger zufolge handle es sich dabei um eine Art positive Halluzination, die Betroffene aktiv unterstütze. Fast so, als würde unser Gehirn begreifen, dass wir in einer derartigen Extremsituation jemanden an unserer Seite brauchen. Also schaffen wir uns einen imaginären Freund, der uns hilft zu überleben oder uns Trost spendet und bis zum Ende begleitet.

*

Der Chirurg Joseph Henry Green.

Ich hoffe, auch ich werde bei meinem letzten Atemzug von einem freundlich gesinnten Geist heimgesucht, auch wenn er nur meiner Fantasie entspringt. Ich frage mich, wen ich wohl sehen werde. Aber jetzt möchte ich dieses Kapitel erst einmal mit meinen letzten Worten zum Thema letzte Worte schließen. Ich bin mir nämlich ziemlich sicher, die besten letzten Worte aller Zeiten gefunden zu haben, oder eher, das beste Wort. Am 13. Dezember 1863 hat es der Chirurg Joseph Henry Green gesagt, der mit diesem letzten Wort meiner Ansicht nach vollkommen neues Terrain betreten hat. Er gilt als die erste Person in der Menschheitsgeschichte, die sich selbst für tot erklärt hat.

Auf dem Sterbebett liegend führte Green einen Finger an sein Handgelenk, um seinen sich stetig verlangsamenden Puls zu erfassen. Beim letzten Pulsschlag sagte Green: »Ende«, und starb.

KAPITEL 6

DER WEICHE STEIN
DIE THEORIE DER UNMÖGLICHKEITEN

Vor vielen Jahren besuchte mein Freund Eric ein Festival auf dem europäischen Festland. An einem besonders feucht-fröhlichen Abend trennte er sich von seinen Kollegen auf dem Zeltplatz und begab sich allein auf Erkundungsreise. Als er am nächsten Morgen wiederauftauchte, berichtete er seinen campenden Freunden von einer unglaublichen Entdeckung:

Nachdem er stundenlang spazieren gegangen war, hatte Eric einen geeigneten Baum gefunden, um sich darunter schlafen zu legen. Als er sich dort nach etwas Kissenartigem für seinen Kopf umsah, entdeckte er es.

»Es war ein weicher Stein«, erzählte er seinen Freunden.

»Was war das?«

»Ja, Mann, es war ein weicher Stein, wie ich noch nie zuvor einen gesehen habe. Das perfekte Kissen.«

Niemand glaubte ihm, aber Eric bestand auf seiner Schilderung und beteuerte, dass er nicht verrückt geworden sei: Er hatte einen weichen Stein entdeckt ...

Viele von uns haben irgendeinen »weichen Stein«, eine Sache, die uns widerfahren ist, die wir aber nicht beweisen können – etwas Unglaubliches, etwas schier Unmögliches, und doch etwas, das im entscheidenden Moment so real und echt gewirkt hat, dass es zu einer Wahrheit für uns geworden ist. Wie wir in den letzten Kapiteln erfahren haben, war es für Fenella das Erscheinen der Jungfrau Maria an ihrer Bettkante; für Kary Mullis sein fluoreszierender Waschbär; für Youyou Tu das Schicksalhafte; für Wolfgang Pauli die unerklärliche Fähigkeit, durch bloße Anwesenheit elektrische Geräte zu zerstören, und für Paul McCartney die Rückkehr seines besten Freundes. Vielleicht haben Sie ja auch einen weichen Stein?

Viele von uns haben schon einmal etwas eigentlich absolut Unmögliches erlebt, das nicht in unser Wertesystem passt, nicht mit unserer Sicht auf die Welt vereinbar ist, das aber trotzdem passiert ist. Wenn Sie selbst keinen weichen Stein haben, dann aber sicher jemand in Ihrem Freundeskreis.

Mein Freund, der Autor David Bramwell, hat einen weichen Stein. 1976, als David acht Jahre alt war und mit seiner Familie in Doncaster lebte, unternahm er mit seinen Eltern einen Tagesausflug zum Ladybower Reservoir, einem Stausee in Derbyshire. »Der Stausee wurde 1939 angelegt. Dafür mussten zwei Dörfer weichen. 1943 verließ die Bevölkerung diese Gemeinden«, berichtete mir David. Anschließend wurden die Dörfer plattgewalzt, bis nichts mehr außer der Kirche des Dorfes Derwent stand. »Der Kirchturm wurde stehengelassen, keine Ahnung warum. Vielleicht aus Aberglauben, vielleicht aus Respekt. Alles andere wurde mit Bulldozern plattgemacht, aber der Kirchturm nicht.« Bei Dürren sank der Wasserspiegel des Stausees so weit ab, dass der Kirchturm aus dem Wasser emporragte – ein Anblick, der die Leute aus der Gegend anzog. So auch die Familie Bramwell. Ein besonderer und seltsamer Anblick – eine Kirche inmitten von so viel Wasser. Das machte großen Eindruck auf meinen Freund David Bramwell: »Ich weiß noch, wie heiß es an diesem Tag war. Ich weiß noch, wo wir geparkt haben. Und ich weiß noch, wie wir auf dem Damm entlanggingen, und vor meinem geistigen Auge sehe ich genau jetzt den Kirchturm aus dem Wasser ragen.«

Mit den Jahren entwickelte sich das Thema zu einer Obsession. Der Kirchturm ziert das Cover des vierten Albums seiner Band Oddfellows Casino, und Bramwell ließ sich sogar passende Kunst für sein Haus anfertigen. »Das Bild des aus dem

Der Kirchturm.

Wasser ragenden Kirchturms ist seit Jahr und Tag mein Bild-
schirmschoner. Ich bin regelrecht besessen von diesem Thema,
weil dieses Kindheitserlebnis mich so beeindruckt hat.«

Vor rund 15 Jahren fand Bramwell in einem Buchladen einen
schmalen Band namens *Silent Valley* [Stilles Tal] von Valerie Hallam, einer Schriftstellerin aus Derbyshire, die in der
Nähe des Ladybower Reservoir gelebt hat. Bramwell wollte
mehr über die Geschichte des Stausees erfahren und kaufte
das Buch. »Ich habe mich schon immer gefragt, warum ich
im Internet keine Farbaufnahmen von der im Wasser versun-
kenen Kirche finden konnte. Dann habe ich in dem Buch von
Valerie Hallam gelesen, dass man die Kirche im Jahr 1947 auf
Anweisung der Behörden gesprengt hat.«

Mit anderen Worten: Es gab im Jahr 1976 keinen Kirchturm
mehr. »Meine ganze Familie, mein Vater, meine Mutter, meine
Schwester und ich, wir alle erinnern uns noch an den Anblick
der Kirche«, insistiert Bramwell. »Wenn man danach googelt,
stößt man auf einen nur wenige Jahre alten Artikel der *York-
shire Post* zu dem Thema. Da ist sogar ein Bild dabei mit der
Unterschrift: ›Der Kirchturm, wie ihn 1976 viele Leute sahen‹.
Ich habe auf Festivals davon erzählt und wurde anschließend
von Menschen angesprochen, die mir mit verstörtem Blick
sagten: ›Ich habe das auch gesehen. Soll das heißen, ich habe
die Kirche doch nicht gesehen und sie war gar nicht da?‹ Hatten wir etwa alle eine Massenhalluzination, oder was? Ich weiß
nicht mehr, was ich noch glauben soll.«

Bramwell fragt sich heute noch, was er an jenem Tag gesehen hat. »Ich habe eine sehr, sehr klare visuelle Erinnerung
an diesen Tag und diesen Anblick. Auch an andere Sinnes-
eindrücke erinnere ich mich noch deutlich. Die Gerüche, die

Hitze, die Absurdität der Szenerie. Ich war damals acht, meine Schwester zwölf. Wir erinnern uns noch sehr gut daran.«

*

Rationalisten hassen weiche Steine. Und zwar aus gutem Grund: Man kann sie nicht beweisen. Oft stehen sie im Widerspruch zu physikalischen Gesetzen und sind außerdem der beste Stoff für Tischgespräche. Dass Rationalisten so etwas quält, verstehe ich nur zu gut: »Glaub mir, es war so«, reicht für zwanglose Konversationen vielleicht aus, ist aber unter Umständen sehr gefährlich, wenn es um das Leben anderer Menschen geht.

Einen Tag später, als das Festival langsam zu Ende ging, erzählte Eric immer noch mit ungebremstem Enthusiasmus von seiner Entdeckung. Seine Freunde allerdings hatten die Geschichten vom fantastischen Kissen langsam satt und forderten ihn auf, ihnen doch einfach den Stein zu zeigen. Eric versuchte, die Wege der vergangenen Nacht zurückzuverfolgen, und schaffte es tatsächlich, seine Freunde zu dem Baum zu führen, unter dem er geschlafen hatte.

»Da ist er«, sagte er und zeigte auf den Boden. »Da ist der weiche Stein.«

Seine Freunde starrten erstaunt zu Boden. Nicht etwa, weil es sich um ein neuartiges Gestein handelte, sondern weil sie nicht fassen konnten, dass Eric nicht bemerkt hatte, dass er die ganze Nacht über auf einem Kuhfladen gelegen hatte. Die unerbittliche Sonne Portugals hatte den Kuhdung getrocknet, und so war der Fladen hart geworden. Die äußere Hülle war fest, gab aber aufgrund des weichen Kerns nach und nahm Erics Kopf auf wie eine Memory-Schaum-Matratze.

»Ich schätze mal, das hätte mir damals gleich auffallen sollen«, sagte mir Eric neulich im Vertrauen. »Als ich aufwachte, schwirrten unzählige Fliegen um meinen Kopf herum.«

Wäre Eric damals nicht zum Ort des Geschehens zurückgekehrt, würde er heute wahrscheinlich immer noch von dem weichen Stein schwadronieren. Ich erzähle Ihnen das, weil ich zwar ein Faible für unmögliche Geschichten habe (dieses Buch ist voll davon), es aber ebenso wichtig finde anzuerkennen, dass das Unmögliche genauso gut nicht passiert sein kann. Das heißt nicht, dass unmögliche Dinge gar nicht passieren können. So abgedreht wie das Universum ist, muss es auch solche Dinge geben. Aber denken Sie doch einmal an Ihren weichen Stein: Handelt es sich dabei um ein einmaliges Ereignis? Oder um etwas, das sich wiederholen lässt? Hat es wirklich so stattgefunden? Oder ist es, wie Eric feststellen musste, einfach nur ein Haufen Bullshit?

TEIL II

DIE
UNIVERSITÄT
DER
ABGELEHNTEN
WISSENSCHAFTEN

Ich lese gerade ein Buch über unglaubliche Zufälle von einem Autor namens Dr. Surprise.* Das Buch heißt *Synchronicity* [Synchronizität] – ein Terminus, der 1930 vom Schweizer Psychiater und Psychologen C. G. Jung geprägt wurde und die zeitliche »Koinzidenz zweier oder mehrerer nicht kausal aufeinander bezogener Ereignisse, welche von gleichem oder ähnlichem Sinngehalt sind«** beschreibt. Dr. Surprises Buch handelt davon, dass Zufälle nicht immer zufällig sind. Irgendetwas anderes muss sich dahinter verbergen. Fast scheint es, als würde das Universum sich einen Spaß erlauben.

Ich habe dieses Buch beim Stöbern in meiner Londoner Lieblingsbuchhandlung gefunden. Sie befindet sich in einer kleinen Seitenstraße am Leicester Square und ist die Art von Buchhand-

---

* Dr. Kirby Surprise beharrt darauf, dass er tatsächlich so heißt. Leider muss ich zugeben, dass ich unter all den Behauptungen in diesem Buch diese am wenigsten glaube. Er besteht trotzdem darauf, dass es stimmt.
** Jung, C. G.: *Synchronizität, Akausalität und Okkultismus.* 6. Auflage, dtv, 2003, S. 30.

lung, die viele Leute lieber für immer geschlossen sehen wollen, weil sie einen Raum für Abertausende Ideen bietet, bei denen viele Leute sich wünschen, dass niemand näher darüber nachdenkt. *Watkins Books* ist Londons ältester esoterischer Buchladen, und ein Blick ins Schaufenster genügt, um sich ein Bild von den Schwerpunkten zu machen. Dort finden sich Bücher über Elben, Vampire und Bigfoot, außerdem ein Band von einem Druiden sowie mehrere Bücher von Geisterjägern, Ufologen und, eigenartigerweise, eines von der Sängerin Tina Turner.

Um diese Bücher herum drapiert sind Kristalle, Räucherstäbchen, tibetanische Gebetsschüsseln und ein Synchronizitäts-Orakel, hergestellt vom Ladeninhaber selbst, dem US-amerikanischen Unternehmer Etan Ilfeld. In einem anderen Schaufenster stehen zwei Stühle und ein Tisch – der Arbeitsplatz eines Astrologen namens Demian, der seinen Kunden die Tarotkarten legt. Wer es darauf anlegt, kann beim Vorbeigehen das ein oder andere Detail seiner Sitzungen aufschnappen. Im Inneren des Ladens findet man im Obergeschoss ein wirklich fantastisches New-Age-Sortiment, aber die eigentlichen Schätze lagern in der Kelleretage. Dort stehen nämlich Regale, die zum Bersten gefüllt sind mit den abstrusen Werken von durchgeknallten Denkern: angefangen beim modernen »Propheten« Edgar Cayce und dem Gegenkultur-Guru Robert Anton Wilson, über den Alien-Forscher Erich von Däniken bis hin zu Rudolf Steiner. Auch wenn es Fenella nicht gerade gefällt, sind viele dieser Werke mittlerweile in unsere Bücherregale eingezogen. Darunter finden sich Titel wie: *Atlantis and the Kingdom of the Neanderthals*, *Homo Serpians* und *For Nobody's Eyes Only*.

Watkins Books ist die Heimat der nicht akzeptierten Ideen dieser Welt. Der Laden wurde 1897 von dem Okkultisten John

M. Watkins gegründet und ist seit jeher die erste Anlaufstelle für alle, die die Welt anders sehen. »Irgendwann nannte man diesen Laden die ›Universität der abgelehnten Wissenschaften‹«, verriet mir der Inhaber. »Es gab eine große Anzahl eigenartiger Bücher im Bestand. John Watkins war mit der Okkultistin Madame Blavatsky* befreundet und galt als offizielle Vertriebsstelle für die Werke der Theosophical Society. Als John Watkins starb, übernahm sein Sohn Geoffrey das Geschäft.** Geoffrey Watkins galt als egozentrischer Buchhändler, der seinen Kunden bisweilen vom Kauf bestimmter Bücher abriet, wenn er sie für zu ungebildet für die Lektüre hielt.

Beliebte Bände sortierte er oft ganz unten in die Regale ein oder stapelte sie hinter dem Tresen, um den Kunden den Zugang zu ihnen zu erschweren. Der Laden entwickelte sich zu einem Treffpunkt für Menschen, die anders denken wollten. Der Religionsphilosoph Alan Watts hat es einmal wie folgt beschrieben: »Ständig kam es einem so vor, als könnte man jeden Moment einem Hohen Priester, einem Mahatma oder einem Lama über den Weg laufen, der auf geheimer Mission in England war, um nach akademisch anerkannten Lehrern zu suchen.«***

Die abgelehnten Wissenschaften, so könnte man gar das gesamte Feld randständiger Theorien und Überzeugungen nennen, sind ein Aspekt des menschlichen Wissens, der mich besonders fasziniert. Wie kann es sein, dass so viele Menschen

---

* Helena Petrovna Blavatsky (1831–1891) war eine Okkultistin und Mystikerin.
** Ilfeld zufolge stand Geoffrey Watkins möglicherweise während des Zweiten Weltkriegs als persönlicher Astrologe im Dienste Winston Churchills. Churchill selbst glaubte zwar nicht an Astrologie, aber viele hochrangige Nazis taten es wohl und fällten strategische Entscheidungen anhand der Position der Gestirne. Mit Hilfe von Watkins versuchte Churchill also zu verstehen, wie und warum die Nazis bestimmte Entscheidungen trafen.
*** Alan Watts: *In my own Way: An Autobiography*, New World Library, 2007

ganz ähnliche Dinge erfahren und erleben, diese Erfahrungen und Erlebnisse aber in den Augen der Wissenschaft nichts bedeuten? Schicksal. Fügung. Vorahnung. Kosmische Energie. Millionen von Menschen schwören auf diese Konzepte, aber es gibt keinerlei Beweis – der den Standards der modernen Wissenschaft genügen würde –, dass irgendetwas davon wahr ist.

Widmen wir uns also ein paar Fragen, die manche Menschen ihr ganzes Leben umtreiben ...

KAPITEL 7

WO SIND ALL DIE FILZLÄUSE HIN?

DIE THEORIE DES GEFÄHRDETEN

Wussten Sie schon, dass einem wissenschaftlichen Artikel zufolge, den zwei Ärzte für sexuell übertragbare Infektionen (STI) aus Leeds veröffentlich haben, Filzläuse fast ausgestorben sind, da immer mehr Leute eine Vorliebe für Brazilian Waxing entwickeln? Dadurch bleibt den Läusen kein natürlicher Lebensraum mehr. Der Busch verschwindet.

*

Dr. Janet Wilson und Dr. Nicki Armstrong, Spezialisten für Geschlechtskrankheiten in Leeds, entdeckten bei der Sichtung medizinischer Daten eines gesamten Jahrzehnts, dass es einen Rückgang bei der Behandlung von Filzläusen gegeben hatte. Sie waren überzeugt davon, nicht nur den Trend der aussterbenden Filzläuse, sondern auch die Ursachen dieses plötzlichen Massensterbens gefunden zu haben. Sie machten die sieben Schwestern Janea, Judseia, Jussara, Juracy, Jocely, Joyce und Jonice dafür verantwortlich.

Die sogenannten J-Schwestern hatten unwissentlich diesen endgültigen globalen Rückgang der Läusepopulationen ins Rollen gebracht, indem sie in New York einen Schönheitssalon eröffnet und das Brazilian Waxing eingeführt hatten – ein Intimstyling, das sofort angenommen wurde. Die erste Amerikanerin, die ein Brazilian Waxing bekam, war die 28-jährige Sari Markowitz, die später dem Autor David Friend von ihrer Erfahrung berichtete. Markowitz war für eine Behandlung im Schönheitssalon, als eine der Schwestern – Janea – ihr das Brazilian Waxing vorschlug. Neugierig, wie sie war, entschied sich Markowitz dafür, die Methode auszuprobieren. Da jedoch die Schwestern zu diesem Zeitpunkt noch keinen speziellen Raum für das Waxing hatten, fand diese Behandlung auf einem Schreibtisch statt, von dem alles abgeräumt worden war. Markowitz, den Rücken auf der Schreibtischplatte, lag mit einem Bein auf dem Faxgerät, das andere wurde von einer der J-Schwestern (Janea) gehalten, die die darauffolgenden sechs Minuten damit verbrachte, den Großteil von Markowitz' Vulvahaaren zu entfernen. Am nächsten Tag erzählte Markowitz ihren Freundinnen beim Mittagessen von ihrer neuen »Frisur«. Eine dieser Freundinnen arbeitete als Redakteurin bei der Zeitschrift *Elle*, die daraufhin einen Artikel über den Schönheitssalon und das Waxing veröffentlichte – wodurch das Schicksal der armen Läuse besiegelt wurde.

WAS HABEN LÄUSE EIGENTLICH JE FÜR UNS GETAN?

Seit Jahrhunderten versuchen wir nun schon, Läuse von unseren Körpern zu vertreiben, was uns allerdings bis heute nicht gelungen ist. Sie zu töten, war zu manchen Zeiten ein sehr lukratives Geschäft. In der viktorianischen Epoche stellten die Krankenhäuser Ungezieferfänger, bekannt als Läusezerstörer ein, die besser bezahlt wurden als die Ärzte selbst.* Wir tragen drei Sorten von Läusen auf uns: Kopfläuse, Filzläuse und Kleiderläuse. Wir haben die Kopfläuse schon vor Millionen von Jahren auf uns aufgenommen und sie mit den Schimpansen geteilt, Kleiderläuse haben sich vor circa 170 000 Jahren entwickelt, und Filzläuse sind von den Gorillas zu uns gekommen, was allerdings nicht als Beleg für sexuelle Annäherungen zwischen den Arten verstanden werden sollte. Urmenschen haben sie ganz einfach dadurch aufgenommen, dass sie in verwaisten Gorillanestern geschlafen haben.

Man könnte annehmen, dass die Veröffentlichung des Artikels von Armstrong und Wilson über die Frage, ob Brazilian Waxing die Filzläuse ausgerottet habe, Entsetzen ausgelöst haben könnte – schließlich war eine weitere Art vom Aussterben bedroht. Hätte da nicht eigentlich der WWF zu weltweiten Demonstrationen aufrufen müssen? Oder Umweltschützer weltweit mit Plakataktionen vor Schönheitssalons für die Rechte dieses kleinen Wesens eintreten sollen? Aber nein. Nichts dergleichen geschah. Der Artikel wurde eher als humorvoller Bericht denn als wissenschaftlicher Beitrag aufgefasst, und selbst die Verfasser sahen diesen eher als interessante Spekulation an.

---

* Der Historikerin Lindsey Fitzharris zufolge zerstörten die besten Ungezieferfänger Läuse mit einem Gegenwert von 20 000 Betten in ihrer Karriere.

Es werden immer wieder Artikel zu der Frage veröffentlicht, ob die Filzlaus tatsächlich vom Aussterben bedroht ist. Meist wird der Rückgang der Patientenzahlen, die sich wegen Filzläusen behandeln lassen, allerdings eher auf die in Apotheken frei zugänglichen Shampoos zurückgeführt – eine Entwicklung, durch die sich die tatsächliche Zahl an Infizierten nicht mehr leicht nachverfolgen lässt. Das Leben auf der Erde ist allerdings bisher das einzige, das wir in diesem Universum kennen, und es ist kostbar.

Es ist wirklich inakzeptabel, einer Art durch Schamponieren den Garaus zu machen.

Läuse sind wichtig, und wir können durch sie viel über unsere Vergangenheit lernen. Sie sind eine Art Mini-Boswell für unseren Samuel Johnson. Laut Mark Stoneking, der in Deutschland am Max-Planck-Institut arbeitet, haben Läuse

uns zum Beispiel Auskunft darüber gegeben, seit wann Menschen angefangen haben, Kleidung zu tragen. Durch den Einsatz von DNA-Sequenzierung konnte festgestellt werden, dass sich Kopfläuse vor 170 000 Jahren zu Kleiderläusen entwickelt haben. Ein Meilenstein in der Menschheitsgeschichte, da es den Menschen durch Bekleidung möglich wurde, Afrika zu verlassen und nach und nach die ganze Welt zu bevölkern. Danke, Läuse! Anders hätte sich das nicht feststellen lassen, da die Kleidung aus dieser Zeit nicht überlebt hat. Welche anderen Geheimnisse unserer Vergangenheit werden sie wohl noch lösen können?

DER FILZLAUSFÄNGER VON ROTTERDAM

Glücklicherweise rümpften nicht alle ungläubig die Nase, als sie den Artikel von Armstrong und Wilson lasen. Kees Moeliker aus den Niederlanden, Direktor des Naturhistorischen Museums in Rotterdam, nahm diese Nachricht zum Beispiel mit Wohlwollen auf. Moeliker ist ein Kurator, wie man ihn sich nur wünschen kann, er ist exzentrisch, lustig und weiß, wie er die Dinge, die er liebt, in den Mittelpunkt stellt und Aufmerksamkeit darauf lenkt. So kann man ihn etwa häufig im Fernsehen sehen, wenn seine Dokumentationen über Wildtiere gezeigt werden, und er hat auch schon verschiedene Bücher veröffentlicht, unter anderem: *The Butt Crack of the Tick*[*] [Die Poritze der Zecke]. Er ist außerdem bekannt für einen bedeutenden

---

[*]   »Genau genommen«, sagte Kees einmal zu mir, »haben Zecken gar keine Poritze, sondern eher eine Afterplatte.« Aber seine Verleger hielten *Die Afterplatte der Zecke* für keinen markttauglichen Titel.

wissenschaftlichen Artikel, in dem erstmals homosexuelle Nekrophilie von Stockenten gezeigt wurde.

Sobald Moeliker von dem Artikel über Brazilian Waxing, das Läuse in Gefahr brachte, erfuhr, ließ er auf der Website seines Museums einen Aufruf veröffentlichen: *Wenn Sie Filzläuse haben, kontaktieren Sie uns! Wir suchen nach Spenden (Läuse, kein Geld).* Diese Nachricht zog ein beachtliches mediales Interesse auf sich, wodurch die Filzlaus ganze Kolumnenspalten füllte und zu einem internationalen Medienereignis wurde – ganz nebenbei verwandelten sie auch Moeliker in den ersten Filzlausfänger.

Ich habe, seitdem ich von seiner Mission, Filzläuse zu retten, erfuhr, schon häufig mit Kees zusammengearbeitet. Ich sollte also vielleicht erwähnen, dass es nicht sein Ziel ist, Filzläuse aktiv vor dem Aussterben zu bewahren. Vielmehr möchte er vermeiden, dass sie dasselbe Schicksal erleiden wie etwa der Dodo, ein Tier, von dem heute kein einziges Anschauungsexemplar mehr existiert, seitdem der letzte ausgestopfte Dodo versehentlich von einem Angestellten in einem Museum in Oxford in ein Feuer geworfen wurde. Kees möchte also hauptsächlich deshalb eine Sammlung Filzläuse in einem Glas aufbewahren, damit auch in Zukunft Wissenschaftler sie zu Forschungszwecken nutzen können. Auch heute noch, ein Jahrzehnt nachdem er seinen Aufruf veröffentlicht hat, bekommt er dankenswerterweise Filzlausspenden. Stolz hat er mir davon berichtet, dass immer wieder Paare zu ihm nach Rotterdam kommen, um ihm eine Tüte mit Proben ihrer Genitalbehaarung mitsamt den abgestorbenen Viechern zu überreichen.

Diese edle Tat, für die Wissenschaftler zukünftig sicher dankbar sein werden, hilft jedoch nicht, das Aussterben der

Läuse selbst zu verhindern. Also frage ich mich, ob ich nicht vielleicht ein paar von ihnen aufnehmen und ihnen ein Heim anbieten sollte? Was ist schon ein bisschen Juckreiz im Vergleich dazu, eine ganze Art zu retten? Ich wäre damit sicher bald berühmt – stellt euch bloß einmal die Aufregung am Tisch vor, bevor man zu einer Dinnerparty kommt – »Habt ihr schon gehört, der Typ mit den Filzläusen kommt heute Abend!« Sollte sich ihre Notlage noch verschlechtern, könnte ich vielleicht sogar Nationalpark-Status als letzter Zufluchtsort einer vom Aussterben bedrohten Art zugesprochen bekommen.

Wenn ich ehrlich bin, hatte allerdings schon jemand anders diese Idee und sogar bereits einen Plan, wie das alles vonstattengehen sollte. Und dieser Jemand ist Frida Klingberg, eine Künstlerin aus Göteborg in Schweden, die sich vorgenommen hatte, ein Naturschutzgebiet für Filzläuse zu schaffen. Klingberg hatte dazu bereits eine Gruppe Freiwilliger aufgetrieben, die sich dem Projekt anschlossen. Jeder von ihnen sollte den Läusen für zwei bis drei Wochen ein Zuhause geben, bevor ein paar Läuse an den nächsten Projektteilnehmer in einem Glas weitergegeben werden sollten, um sich damit selbst zu infizieren und nach Ablauf der Wochen dasselbe zu tun wie der Projektteilnehmer zuvor.

Das einzige Problem an Klingbergs Plan war jedoch, dass sie nirgendwo Filzläuse auftun konnte, um das Projekt überhaupt erst einmal zu beginnen. Sie erzählte mir, sie habe mehrere Jahre lang hauptsächlich durch Medienaufrufe danach gesucht. Jedoch habe sie nie in Schweden beheimatete Exemplare finden können, um sich eine Reserve aufzubauen, was bereits viel über die aktuelle Situation der Läuse aussagt. Genau wie ich versteht sie überhaupt nicht, wie wenig Aufmerksamkeit diesem Problem geschenkt wird:

»*Warum gibt es keine Naturschutzorganisation, die sich für den Erhalt dieser nachweislich gefährdeten Spezies einsetzt? Wie sollen zukünftige Generationen [von Menschen] Natur erfahren können, wie wir es heute tun? Wie kann die Idee der Funktion [für wen?] einer Spezies das Recht zur Existenz innerhalb eines geschützten Raumes geben? Wie kommt es, dass keine Naturfotografen Bilder von Läusen machen? Alle bisher vorhandenen Fotos stammen von ›medizinischen Fotografen‹. Ist eine Filzlaus nicht Teil der Natur?*«

Glücklicherweise gibt es einen Ort, der den Hilferuf der Filzlaus erhört hat: eine Organisation, die sich insbesondere Tieren widmet, die von den Mainstream-Organisationen nicht beachtet werden.

THE UGLY ANIMAL PRESERVATION SOCIETY

Die Ugly Animal Preservation Society, was so viel bedeutet wie Gesellschaft zum Erhalt hässlicher Tiere, wurde 2012 unter Federführung des Biologen Simon Watt gegründet. Die Idee ist, dass knuddelige Tiere wie der Panda schon lange unsere Aufmerksamkeit bekommen, wir uns jedoch auch mehr den ästhetisch benachteiligten Wesen zuwenden sollten. Simon findet, wir hätten mittlerweile wirklich genug über Schneeleoparden gehört; über die in Kanada beheimatete blaugraue *Prophysaon coeruleum*, eine Nacktschnecke, die ihren Schwanz verliert, wenn sie zu große Angst bekommt, wüssten wir hingegen noch viel zu wenig.

Zugegebenermaßen funktioniert die Gesellschaft zum Erhalt hässlicher Tiere hauptsächlich als Comedy-Nacht-Veran-

staltung, aber diese basiert auf einem ernsthaften Schutzanlie-
gen. In den letzten Jahren bin ich selbst bei einer Vielzahl von
Anlässen als Verfechter der Filzlaus aufgetreten, wann immer es
möglich war. Simon kommt es nicht darauf an, ob der Artikel,
den Armstrong und Wilson veröffentlicht haben, falsch ist, da
es tatsächlich nicht genau definiert ist, was als gefährdete Spezies gilt und was nicht. Genau das kann durch den Artikel her-
vorgehoben werden.

*»Das Konzept, wodurch der Status ›gefährdet‹ verliehen wird,
ist nicht ganz einfach. Zum Beispiel reicht Seltenheit nicht aus.
Es gibt jede Menge Sachen, die Seltenheitswert haben. Seltenheit ist vielleicht das Standardmerkmal der meisten Dinge des
Lebens, da diese in ihren eigenen engen Grenzen existieren.
Und wenn diese engen Grenzen sicher sind, handelt es sich
nicht um gefährdete Arten. Denken wir zum Beispiel an Eisbären. Manche Leute argumentieren, und ich halte das für
ein legitimes Argument, dass Eisbären nicht vom Aussterben
bedroht sind, da an vielen Orten ihre Zahlen steigen. Soweit
geht es ihnen also gut. Wenn das Eis jedoch schmilzt, werden
sie alle sterben. Das heißt jedoch, auch wenn die Zahlen stimmen, wird die Gefährdung immer deutlicher.«*

Simon hält die Filzlaus für ein fantastisches Beispiel einer gefährdeten Art, auch weil sie wichtige Gespräche über Parasiten
im Allgemeinen anregt.

*»Es gibt nur wenige Parasiten auf den Listen mit gefährde-
ten Arten. Wenn man sich einmal die Rote Liste der Internationalen Union zur Bewahrung der Natur (IUCN) an-
sieht, finden sich dort neben der vom Aussterben bedrohten*

Schweinelaus (Haematopinus oliveri) *nur wenige andere. Wir alle wissen, dass das nicht sein kann. Jede vom Aussterben bedrohte Art hat ihre eigenen Parasiten, die mit ihrem Wirt zusammen verschwinden werden.*«

Simon nutzt nun die Filzlaus als Anschauungstier, um die Komplexität des Zusammenlebens verschiedener Arten zu verdeutlichen und zu zeigen, dass niemals nur eine isolierte Spezies ausstirbt, sondern eine Reihe von anderen Organismen – Pflanzen genauso wie Tiere – mit sich nimmt. Wenn etwa eine bestimmte Insektenbestäuberart ausstirbt, könnte etwa eine bestimmte Pflanze, von der sich dieses Insekt ernährt, ebenfalls aussterben. Simon sagt, dass er am Beispiel der Laus klarmachen möchte, dass die Dinge noch viel schlimmer stehen, als wir denken.

Das Leben, betont Simon, ist ein Ökosystem. Wenn ein Teil davon wegbricht, kann die Kettenreaktion immens sein. Es ist unsere Aufgabe, uns *allem Leben* zu widmen, auch wenn wir davon Juckreiz bekommen.

Wenn Sie, die Sie diese Zeilen gerade lesen, Filzläuse haben sollten, herzlichen Glückwunsch! Sie beherbergen eine gefährdete Spezies. Sie sind Helden! Zerstören Sie diese nicht unter der Dusche mit irgendwelchen Chemikalien. Nehmen Sie lieber Kontakt zu Frida Klingberg auf, helfen Sie ihr, eine Reserve anzulegen, oder kontaktieren Sie das Naturhistorische Museum in Rotterdam – es kann Ihre Spende gut gebrauchen!

KAPITEL 8

WERDEN WIR JEMALS DELFINESISCH SPRECHEN?

DIE THEORIE DER TIERKOMMUNIKATION

Am Morgen des 1. November 1961 ging im Haus des Wissenschaftlers Melvin Calvin ein Anruf ein, mit dem dieser informiert werden sollte, dass er den Nobelpreis für Chemie verliehen bekäme. Aber Calvin war an diesem Tag nicht zu Hause. Er hatte sich still und heimlich zu einem Treffen im Green-Bank-Observatorium in West Virginia davongestohlen, wo er den Ausführungen eines Mannes namens Dr. John C. Lilly lauschte, der vor einer kleinen Gruppe von Wissenschaftlern erklärte, wie er einem Delfin namens Elvar mit einer sehr speziellen Technik beigebracht hatte, einen Gummiring aufzufangen – statt seine Nase zu benutzen, war Elvar darauf trainiert worden, seinen erigierten Penis für das Kunststück einzusetzen. Wie Lilly den Anwesenden erläuterte, sind Delfine in der Lage, in nur drei Sekunden willentlich eine Erektion zu bekommen. Wenn er den Gummiring in das Becken warf, konnte Elvar im Handumdrehen seinen erigierten Penis ausfahren, den zu Boden sinkenden Ring auffangen und zu Lilly zurückbringen.

Die Wissenschaftler, die gebannt den Schilderungen über Lillys Delfinabenteuer lauschten, hatten sich nicht ohne Grund mehr oder weniger heimlich zusammengefunden. Sie waren dort, um nach außerirdischem Leben zu suchen. Es handelte sich um das allererste Treffen, aus dem SETI (Search for Extraterrestrial Intelligence) hervorgehen sollte[*]: ein Projekt, das sich der Suche nach außerirdischem Leben verschrieben hatte.

Dr. Lilly passte nicht so recht in die Gruppe, die ansonsten aus weltweit führenden Fachleuten auf den Gebieten Ballistik, Biologie, Chemie, Exobiologie, Elektronik und Physik bestand. Trotzdem waren alle Anwesenden sehr interessiert an seinen Schilderungen. Das Treffen hatte der Biologe J. P. T. Pearman im Auftrag des Space Science Board organisiert. Ge-

---

[*] Genau genommen handelte es sich nicht um ein geheimes Treffen (schließlich war es von der NASA angesetzt worden), aber die Konferenz war definitiv nicht öffentlich beziehungsweise ihre Themen wurden nicht in der Öffentlichkeit diskutiert, da die teilnehmenden Wissenschaftler fürchteten, in den Medien und unter Kollegen lächerlich gemacht zu werden. Nach dem Roswell-Vorfall, der sich 14 Jahre zuvor in New Mexico ereignet hatte, waren die Vereinigten Staaten von einer regelrechten Alien-Manie befallen worden. Dank der großspurigen TV- und Radioauftritte zahlreicher Hobbyforscher war die Suche nach außerirdischem Leben zu einer größtenteils pseudowissenschaftlichen Angelegenheit verkommen.

meinsam mit dem Radioastronomen Frank Drake*, einem der bekanntesten wissenschaftlichen Alien-Jäger und Erfinder der Drake-Gleichung, hatte Pearman eine sorgfältige Auswahl an Gästen getroffen. Zu den Eingeladenen zählten Su-Shu Huang (der den Begriff der *habitablen Zone*, also der »bewohnbaren Zone« prägte, der den Abstandsbereich bezeichnet, in dem sich ein Planet von seinem Zentralgestirn befinden muss, damit Wasser dauerhaft in flüssiger Form auf seiner Oberfläche fortbestehen und somit erdähnliches Leben sichern kann), Philip Morrison (ein Atomphysiker, der am Manhattan Project zur Entwicklung der ersten Atombombe mitarbeitete und für die erste in den Vereinigten Staaten detonierte Atombombe zwei Kisten mit Plutonium auf dem Rücksitz seines Dodge Sedan zum Testgelände transportierte), Bernard M. Oliver (der Forschungsdirektor der Hewlett-Packard Company), der russisch-amerikanische Astronom Otto Struve (dessen Augen in unterschiedliche Richtungen blickten, was angeblich darauf zurückzuführen war, dass er ständig mit einem Auge ins Mikroskop schaute und mit dem anderen auf eine Zahlenta-

---

* Frank Drake ist zwar selbst nicht durchgeknallt, weiß aber sehr gut mit dem Irrsinn anderer umzugehen. Es heißt, er habe einmal seinen Arbeitsplatz vampirsicher gemacht, nachdem jemand vom Sicherheitsdienst eine mit einem schwarzen Umhang bekleidete Person in der Nähe der Satellitenschalen beobachtet und diese für einen Vampir gehalten hatte. Ein paar Tage später wurde in einem nahe gelegenen Landwirtschaftsbetrieb eine tote Kuh gefunden, die kein Blut mehr im Körper hatte, und Drakes Mitarbeiter drehten durch. Es kam immer häufiger zu angeblichen Vampirsichtungen, und Drake, der nicht besonders überzeugt vom Ernst der Lage war, sprang über seinen Schatten und begann zu recherchieren, wie man Vampire loswird. Zu diesem Zweck rief er sogar Donald Griffin von der Cornell University zu Hilfe, einen auch im Bereich des Brauchtums belesenen Fachmann für Vampirfledermäuse, der Drake den Verzehr von großen Mengen Knoblauch empfahl. Drake rief daraufhin seinen Stab zusammen und ordnete an, dass alle Mahlzeiten im Observatorium mit Knoblauch zuzubereiten seien und zudem besonders knoblauchhaltige Gerichte in den Speiseplan integriert werden sollten. Bald darauf sank die Zahl der Vampirsichtungen in der Gegend wieder gegen null.

belle), der Spezialist für Kommunikationstechnologie Dana W. Atchley, der Biochemiker und baldige Nobelpreisträger Melvin Calvin und natürlich, am allerwichtigsten von allen, der junge Carl Sagan, der später als Wissenschaftsvermittler und Moderator der beliebten TV-Serie *Unser Kosmos* große Bekanntheit erlangen sollte.

Lilly wurde eingeladen, nachdem einer der Organisatoren scherzhaft darauf hingewiesen hatte, dass unter den Gästen eigentlich nur noch jemand fehle, der schon mal mit Außerirdischen kommuniziert habe. Und dieser jemand war Lilly.

Die zentrale Annahme lautete damals: Wenn Delfine genauso intelligent wie Menschen wären, könnte man davon ausgehen, dass sich auf der Erde zwei voneinander unabhängige Formen der Intelligenz entwickelt hätten und Intelligenz als Konzept nichts Einmaliges wäre. Daraus ließe sich dann schlussfolgern, dass auch im Universum eine Fülle an intelligentem Leben existieren könnte. Nicht unerwähnt blieb dabei jedoch die ernüchternde Tatsache, dass Delfine zwar sehr intelligent sein mochten, jedoch keinerlei Interesse an Astronomie zu haben schienen. Falls doch, sei fraglich, wie sie dieses in die Tat umsetzen könnten ... mit Flossen ließen sich keine Teleskope und Raketen bauen.[*]

---

[*] Interessanterweise ist diese Art der Unterwasserintelligenz die Basis für eine prominente Theorie zu der Frage, warum wir noch keine raumfahrenden Aliens entdeckt haben. Die sogenannte »World Water Hypothesis« oder auch Tiefsee-Hypothese besagt, dass es womöglich zahlreiche Lebensformen im Universum gibt, wir aber noch keine davon kennengelernt haben, weil alle Aliens unter Wasser leben. Der Hypothese zufolge ist die Erde aufgrund ihrer speziellen Lage ein Sonderfall. Unser Planet befindet sich nämlich am äußeren Rand einer habitablen Zone, und möglicherweise könnte genau das der Grund sein, weshalb es hier große Landmassen und eine sauerstoffhaltige Atmosphäre gibt – die Voraussetzungen für das Leben an Land. Leben außerhalb von Wasserflächen ist wahrscheinlich so selten, dass extraterrestrisches Leben, selbst wenn es existieren würde, niemals zu uns gelangen könnte, da es unter Wasser festsitzt.

AFFENORGASMEN UND ISOLATIONSTANKS

Dr. John Lilly war ein einflussreicher Neurowissenschaftler und Universalgelehrter, über den heutzutage wenig gesprochen wird. Zeitgenossen zufolge sah er aus wie ein Filmstar und ganz und gar nicht wie jemand, der sich Elektroden in den Schädel schiebt, um mit Lust und Schmerz zu experimentieren (was er als Wissenschaftler offenbar relativ häufig tat). Regierungsbehörden rissen sich um ihn, und er gehörte gleich in mehreren Feldern zur wissenschaftlichen Avantgarde.

Mit seinen ersten Experimenten, bei denen er sich selbst als Proband zur Verfügung stellte, wollte er Abhilfe gegen die sogenannte Dekompressionskrankheit schaffen, die vor allem Piloten ereilte und es ihnen erschwerte, sich an plötzlich fallende oder steigende Druckverhältnisse anzupassen. Später wechselte er zum National Institute of Health und half dabei, eine Landkarte des Gehirns zu erstellen, indem er erforschte, wie die einzelnen Areale mit dem Rest des Körpers zusammenarbeiten. Die dafür notwendigen Experimente führte er an Affen durch. Dazu entwickelte er zunächst eine Methode, um schmerzfrei Leitungen in das Gehirn der Primaten zu legen. Über diese positionierte er dann Elektroden, um per Knopfdruck und ohne Schädigung des Hirngewebes unterschiedliche Emotionen, von Schmerz bis Angst, auslösen zu können. Dabei entdeckte er unter anderem die Areale, die bei den Affen Erektionen und Orgasmen auslösten. Eine seiner Studien zeigte, dass Affen, wenn sie sich per Knopfdruck einen Orgasmus bescheren könnten, diesen Knopf im Drei-Minuten-Takt bis zu 16 Stunden am Tag drücken würden, nur um am Ende vor Glückseligkeit und Euphorie ohnmächtig zu werden.

Auf dieser Grundlage widmete sich Lilly zunehmend dem menschlichen Gehirn und machte sich dabei abermals selbst zum Probanden. Ab 1954 beschäftigte er sich intensiv mit dem menschlichen Bewusstsein und der Frage, was mit dem Gehirn passieren würde, wenn es keine Sinnesreize mehr empfinge: keine Geräusche, keine Gerüche, keine haptischen oder optischen Signale. War das Gehirn etwa nur wegen dieser Stimuli aktiv? Was passierte, wenn man diese Reize eliminiere und dem Gehirn keine Stimuli mehr böte, auf die es reagieren könnte? Würde es einfach runterfahren? Um Antworten auf diese Fragen zu finden, entwickelte Lilly einen Isolationstank zur sensorischen Deprivation, in den er sich einschloss, um herauszufinden, ob sich sein Gehirn abschaltete. Wenn es passierte, würde er es überleben?

Diese spannende Frage führte zur Entwicklung von sogenannten Floating-Tanks, die mittlerweile weltweit zur Verbesserung der mentalen Gesundheit eingesetzt werden. Dass Lillys Isolationstank kein Floating-Tank im heutigen Sinne war, dürfte klar sein. »Das ist bahnbrechend«, behauptete er damals. »Es ist eine Tür zum Universum.« (So etwas steht sicher nicht in einer Werbebroschüre für ein x-beliebiges Spa-Erlebnis.) Bei seinen Reizentzug-Experimenten kam er in Kontakt mit drei interdimensionalen Wesen, die die Außenstelle einer sehr viel größeren Institution namens Earth Coincidence Control Office [Koinzidenzkontrollzentrum der Erde, kurz: ECCO] leiteten. Lilly zufolge waren diese Wesen dafür verantwortlich, Zufälle mit langfristigen Folgen im Leben eines jeden Einzelnen zu orchestrieren. In diesem Sinne wäre ECCO also dafür zuständig, dass William Thomas Stead die Titanic bestieg, und auch dafür, dass Youyou Tus Vater den Namen seiner Tochter einem Gedicht entnahm. ECCO kontrolliere unser aller Leben, behauptete Lilly, wir wollten es nur nicht zugeben.

Ungefähr zu dieser Zeit erwachte in Lilly auch ein Interesse an der Gedankenwelt anderer Spezies. Hatten sie ein Bewusstsein? Ein Konzept von Ich und Selbst? Ganz besonders interessierten ihn Delfine, Lebewesen, denen ein hoher Grad an Intelligenz nachgesagt wurde. Lilly wollte wissen, ob es möglich wäre, mit ihnen zu kommunizieren. Also beschloss er, es herauszufinden, und zog bei ein paar Vertretern dieser Art ein.

DAS DELFIN-HAUS

Lilly war der Meinung, der Mensch müsse den hohen Intelligenzgrad von Delfinen anerkennen, weshalb er die Einrichtung einer Cetacea-Nation vorschlug, einer Vereinigung aller Delfine und Wale. Zu diesem Zweck verfasste er ein Manifest, in dem es heißt:

»Um das Überleben von Delfinen und Walen angesichts der kontinuierlichen Attacken auf sie durch ihre Festlandpendants, die Menschen, zu sichern, muss ihre Spezies als das anerkannt werden, was sie eigentlich ist: eine nicht auf dem Festland lebende intelligente Lebensform ... Um dieses Ziel zu erreichen, müssen Delfine und Wale einen Status in der menschlichen Gesellschaft erhalten, der ihnen die Anerkennung als intelligente Spezies zusichert. Aus diesem Grund wird nun eine Cetacea-Nation eingerichtet. Mittelfristig sollen Delfine und Wale auch als eigenständige Gruppe in den Gremien der Vereinten Nationen vertreten sein.«

Mit NASA-Geldern wollte Lilly Delfinen die englische Sprache beibringen, damit sie in den Organen der Vereinten Nationen die Interessen aller Meeressäuger vertreten könnten.

Die NASA hielt Lillys Forschung für interessant und die Entzifferung von Tiersprachen bei einem möglichen Kontakt mit Außerirdischen für nützlich. Auf dieser Grundlage bewilligte die Raumfahrtbehörde eine Förderung über ihr Biowissenschaftsprogramm.

Lilly glaubte, dass Menschen und Delfine gleichberechtigt und in Eintracht miteinander leben sollten. Wenn sie allerdings wirklich so intelligent wären wie vermutet, war zu befürchten, dass die Meeressäuger verdammt sauer auf uns sein könnten – nicht nur wegen all der Dinge, die wir ihnen angetan hatten, sondern wegen unseres Umgangs mit allen Lebewesen dieser Erde. Und zwar zu Recht. Ich persönlich habe schon oft gedacht, dass wir, sollten wir irgendwann einmal mit Tieren und Pflanzen kommunizieren können, sicher nicht so gern hören wollen, was sie uns alles zu sagen haben.

In dem Versuch, einen Prozess der Wiedergutmachung auf den Weg zu bringen, plante Lilly, auf den Ozean hinauszusegeln und Kontakt mit Delfinschulen aufzunehmen, um ihnen mit sanfter Musik seine freundlich gesinnten Absichten kundzutun. Ein noch aufrichtigerer Beweis seiner guten Absichten war allerdings sein Vorschlag, dass Mensch und Delfin zusammenleben sollten. Wie das praktisch umgesetzt werden könnte, zeigte Lilly im Jahr 1959, als er mit Mitteln der NASA-Förderung und anderen Spenden ein Haus auf der karibischen Insel Saint Thomas kaufte. Für sein Vorhaben setzte er das Gebäude teilweise unter Wasser, installierte Rampen an den Seiten, damit das Wasser vom Ozean zulaufen konnte und ein kontinuierlicher Kreislauf gesichert wäre, der dauerhaft für frisches Wasser sorgte. Lillys Vorstellung nach sollte es Räume geben, die nur für Delfine bestimmt waren, dazu Räume nur für Menschen und Räume für beide, wie etwa den Speisesaal, in dem das Wasser bis zur Hälfte der Tischbeine reichte, sodass Mensch und Delfin zusammen speisen konnten. Er arbeitete sogar an einem Entwurf für wassergefüllte Autos, damit Delfine sich selbstbestimmt auf Straßen bewegen könnten.

Der erste Schritt in Lillys Experimenten bestand darin, den Delfinen Englisch beizubringen, was seine Forscherkollegen neugierig machte, jedoch auch amüsierte. Carl Sagan zum Beispiel, der Lilly ein paar Jahre zuvor auf dem SETI-Treffen kennengelernt hatte, reiste wiederholt auf die Insel, um sich über Lillys Forschungen auf dem Laufenden zu halten. Bei seinem ersten Besuch wurde ihm Elvar vorgestellt (der Delfin mit den besonderen Auffang-Fähigkeiten). Als er mit Elvar allein war, streichelte Sagan dem freundlichen Delfin den Bauch. Kaum

hörte er jedoch damit auf, passierte etwas völlig Unerwarte-
tes. Elvar reagierte nämlich, und Sagan hätte schwören können, dass der Delfin »more«, also »mehr«, zu ihm gesagt hatte.
Lilly bestätigte später, dass »more« zu den englischen Wörtern
gehörte, die Elvar kannte.

In den folgenden Monaten kam es im Rahmen des Englisch-
unterrichts mit Delfinen und Menschen zu einer alles verän-
dernden Kontroverse, deren Ausgangspunkt in gewisser Weise
Carl Sagan war. Beim Abendessen in einem der Insel-Restau-
rants unterhielt sich Sagan mit einer Angestellten namens Mar-
garet Howe. Sagan flirtete mit Howe, erzählte ihr von dem Delfin-Haus und schlug vor, sie dem Team vorzustellen. Wenig
später verschaffte er ihr sogar einen Job in der Einrichtung.[*]

DELFINTRAINING FÜR ANFÄNGERINNEN

Kurze Zeit später zog Howe in das Delfin-Haus und arbeitete
schon bald mit einem der Bewohner, einem Delfin namens Peter. Howe richtete sich in einem der delfinfreundlichen Berei-
che des Gebäudes ein und stellte ihr Bett mitten in einem ge-
fluteten Raum auf, hängte es aber mit Duschvorhängen ab, um
ein wenig Privatsphäre und ein halbwegs trockenes Nachtlager
zu haben. Howes Job bestand darin, Peter Englisch beizubringen: Die korrekte Aussprache und die Bedeutung der Wörter

---

[*]   Ich sollte erwähnen, dass diese Geschichte aus der brillanten Sagan-Biografie
      von William Poundstone stammt. Der Biograf entnahm sie einem Interview
      mit Lilly, fand sie aber auch in Sagans Aufzeichnungen bestätigt. Margaret Howe
      hingegen bestreitet die Anekdote und behauptet, während ihrer Arbeit in einem
      Hotel von dem Delfin-Haus gehört und auf eigene Initiative die Forschungsein-
      richtung aufgesucht zu haben, in der sie von dem Wissenschaftler Gregory Ba-
      teson als Volontärin in das Programm aufgenommen worden sei.

standen im Mittelpunkt. Sie hatte keinerlei wissenschaftliche Ausbildung, die sie für diesen Job qualifizierte. Ihre Arbeitgeber verlangten lediglich von ihr, vor Arbeitsantritt *Der Planet der Affen* gelesen zu haben. Lilly war überzeugt davon, dass Howe von ECCO zu ihm gesandt worden war, und hatte vollstes Vertrauen in ihre Fähigkeiten. Aus diesem Grund ließ er Howe freie Hand und hielt sich mit Supervisionen eher zurück – bis auf seine Versuche, sich per Telepathie mit ihr auszutauschen, während er im oberen Stockwerk in seinem Isolationstank schwamm.

Allen, die sich ein Bild der Englischstunden machen möchten, kann ich die online verfügbaren Mitschnitte wärmstens empfehlen. Howe war eine strenge Lehrerin. Wenn Peter sie klickend, schnatternd oder pfeifend – kurzum auf Delfine-

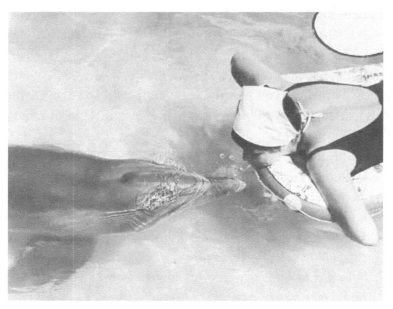

Margret Howe unterhält sich mit einem Delfin.

sisch – ansprach, antwortete sie nicht. Sie ging nur auf ihn ein, wenn er Englisch sprach. Auf den Aufnahmen hört man, wie Howe ihm bestimmte Wörter beibringt, die der Delfin dann Silbe für Silbe nachahmt. So lernte er ganze Sätze wie »I'm a good boy.« [Ich bin ein braver Junge.]

Nach nur einem Monat soll Peter bereits imstande gewesen sein, in einem sehr rudimentären Englisch zu kommunizieren. Es sah ganz danach aus, als wäre artenübergreifende Verständigung kein ferner Wunschtraum mehr. Leider kam etwas dazwischen. Und wie so oft war dieses Etwas Sex.

Peter wurde langsam zum Störenfried. Er war in die Pubertät gekommen und hatte rasch kapiert, dass sein Penis nicht nur dazu da war, Gummiringe aufzufangen. Oft bekam Peter mitten im Englischunterricht eine Erektion, und die Stunde musste abgebrochen werden.

Das Ganze wuchs sich zu einem echten Problem aus, das sich eher nicht von allein lösen würde. Howe kam ins Grübeln und fragte sich, ob sie die sexuellen Bedürfnisse ihres Schülers nicht befriedigen könnte, um die Bindung zwischen dem Delfin und ihr zu stärken. Sie entschied sich, Peter zur Hand zu gehen.

»Als Peter oben in dem Fiberglasbehälter war, wurde er gelegentlich erregt, und ich entdeckte, daß er eine Art von Orgasmus erreichte, wenn ich seinen Penis in die Hand nahm und ihn sich gegen mich pressen ließ; er hatte das Maul offen, die Augen geschlossen, der Körper schüttelte sich, dann entspannte sich sein Penis und zog sich zurück. Er wiederholte dies bisweilen zwei- oder dreimal, dann hörten seine Erektionen auf, und er schien befriedigt zu sein.«

Als diese Vorfälle bekannt wurden, reagierten Wissenschaftler aus aller Welt mit Entsetzen. Howe wurde allerorts lächerlich gemacht. Die Presse stürzte sich auf ihre Geschichte, bauschte sie auf, schlachtete sie aus. Der *Hustler* brachte sogar eine anrüchige Kurzgeschichte mit Howe als Protagonistin. Die ganze Sache nahm die junge Frau derart mit, dass sie, in dem Glauben, Schlimmeres verhindern zu können, von einem Laden zum nächsten lief und sämtliche Zeitungen kaufte, in denen über sie berichtet wurde.

Kurz darauf wurde das gesamte Projekt eingestampft, doch auch mehrere Jahrzehnte später war Howe noch immer Zielscheibe von Spott.

Als das Experiment endete, zog Howe aus dem Delfin-Haus aus. Ihr Schüler Peter fiel in eine tiefe Depression und beging schließlich Selbstmord, indem er sich ertränkte. Irgendwann wurde das Wasser aus dem Delfin-Haus abgelassen, und Howe zog abermals dort ein – dieses Mal als Ehefrau des Mannes, der das Delfinexperiment fotografisch dokumentiert hatte.

Einige Jahre später wagte Lilly erneut Experimente im Bereich Delfinkommunikation, dieses Mal mithilfe von Computern. Er nahm an, es würde fünf Jahre dauern, um mit den Meeressäugern sprechen zu können, und weitere fünf, um ein Mensch-Delfin-Wörterbuch zu erstellen. Keiner dieser Pläne wurde umgesetzt. Einst von den bedeutendsten Köpfen in der Wissenschaft respektiert, waren Lillys Ideen bald nur noch Material für das Kuriositätenkabinett. Nach diesem Misserfolg driftete Lilly in wissenschaftliche Randbereiche ab und tauchte, fasziniert von den bewusstseinserweiternden Drogen der 1960er-Jahre, tief in die Erforschung von Psychedelika ein.

*

An dem Tag, als Melvin Calvin erfuhr, dass er den Nobelpreis bekommen würde, kamen alle Wissenschaftler auf der geheimen Alien-Jäger-Konferenz zusammen und feierten die frohe Botschaft mit einer spontanen Party in West Virginia. Calvin öffnete eine Flasche Champagner*, sprach einen Toast aus und verkündete, dass dieser innovative Zusammenschluss von Wissenschaftlern fortan den Namen *Der Orden des Delfins* tragen werde.

Einige Wochen später erhielten alle Teilnehmer auf dem Postweg ein ganz besonderes Präsent von Melvin: eine silberne Krawattennadel, die einer Münze der griechischen Kolonie Taras aus dem Jahr 300 v. Christus nachempfunden war und einen Jungen auf einem Delfin zeigte. Es war das offizielle Erkennungszeichen des neuen Ordens.

Und so kam es, dass bei der Gründung von SETI, dem bislang ambitioniertesten Projekt auf der Suche nach außerirdischem Leben, nicht nur zehn herausragende Wissenschaftler als Erstmitglieder benannt wurden, sondern, dank Calvin, auch ein Delfin namens Elvar.

---

* Frank Drake überlegte kurz, ob er den Chauffeur des Observatoriums losschicken sollte, um den Alkohol zu besorgen, entschied sich dann aber dagegen. Schade, denn andernfalls wäre der Champagner von einem Fahrer namens Mr. French Beverage [zu dt.: Mr. Französisches Getränk] geliefert worden.

KAPITEL 9

SOLLTEN BÜROPFLANZEN IN MORDFÄLLEN ERMITTELN?

DIE THEORIE DER PFLANZENKOMMUNIKATION

Immer wenn König Charles III. an einer Baumpflanzzeremonie teilnimmt, schüttelt er einen der Äste zum Gruß und wünscht ihm alles Gute. Einmal hat er der BBC gesagt, er spreche gern mit Pflanzen und Bäumen und höre ihnen zu, das halte er für wirklich wichtig. Jahrzehntelang haben wir ihn wegen seiner Versuche, mit Pflanzen zu kommunizieren, belächelt, neuere wissenschaftliche Erkenntnisse haben jedoch ergeben, dass daran mehr sein könnte, als wir bisher angenommen haben.

Haben wir bislang die Fähigkeiten von Pflanzen falsch eingeschätzt? Gerade erst mussten wir lernen, dass sie über ihr eigenes »Internet« verfügen – unter Botanikern bekannt als das Wood Wide Web (WWW), das waldweite Netz –, das von beachtlichen 80 Prozent aller Pflanzen als »Anbieter« genutzt wird, der Ort für pflanzenbasierte Cyberattacken und Onlineshopping schlechthin. Sie kennen außerdem, wie sich herausgestellt hat, ihre Familienmitglieder und wissen etwa, wer ihre Geschwister sind, weshalb sie mit diesen nicht um Ressourcen konkurrieren und ihnen Nachrichten über das WWW senden, um sie vor Gefahren zu warnen.

Monica Gagliano ist eine der Personen, die annimmt, dass Pflanzen mehr können als bisher gedacht. Gagliano ist Professorin im Fachbereich Evolutionsökologie an der Southern Cross University in Australien, sie hat ein Buch mit dem Titel *Thus Spoke the Plant* [Also sprach die Pflanze] veröffentlicht. Auch wenn Gagliano als einzige Autorin des Buches angeführt wird, wurde dieses von »Pflanzenwesen« mitgeschrieben, die Gagliano ihre Beiträge diktiert haben. »Pflanzenwesen« nennt Gagliano die Pflanzen, die sie analysiert, da diese ihrer Ansicht nach über eine eigene Kognitionsform verfügen. Das Buch ist also nicht nur metaphorisch eine Zusammenarbeit, Gagliano zufolge haben die Pflanzenwesen am Buch mitgeschrieben, weshalb sie es als »Phytobiografie«* definiert. Wenn es wirklich stimmt, was sie sagt, wäre es das erste Buch, dessen Co-Autoren aus der Pflanzenwelt stammen.

Von Gagliano erfuhr ich durch einen Artikel in der *New York Times*. Darin erzählte sie dem Interviewer, dass der ein-

---

* Das erste Kapitel trägt die Überschrift »Oryngham«, was auf Pflanzensprache wohl »Danke« bedeuten soll. Jedoch führt Gagliano auch an, dass das Wort nicht ausgesprochen werden kann, sondern eher gefühlt werden muss.

zige Grund, weshalb sie angefangen habe, Pflanzenakustik zu untersuchen, ein Freund gewesen sei, der ihr von Forschungsgeldern für »Klangkommunikation bei Pflanzen« erzählte, für die sie sich nur bewerben müsse. Bei besagtem Freund handelte es sich um eine Eiche.

Gagliano begann, mit Pflanzen zu sprechen, nachdem eine Reihe von Wachträumen sie nach Peru geführt hatte, wo sie Zeit mit Schamanen verbrachte und mit dem halluzinogenen Ayahuasca und anderen spirituellen Praktiken experimentierte.

Dort geschah es auch, dass die Pflanzen zum ersten Mal zu ihr sprachen.

Zehn Jahre später forscht Gagliano über Pflanzen und publiziert peer-reviewte Artikel in dem neuen Feld Bioakustik beziehungsweise Pflanzenkommunikation, in dem sie als Pionierin gilt. Mit ihrer Forschung will sie zeigen, dass Pflanzen Verhalten erlernen können (etwas, das bis dato als unmöglich galt) und dass sie in der Lage sind, sich zum Wasser hinzubewegen, wenn sie das Geräusch davon »hören« (eine kontrovers diskutierte These).*

Gagliano wird bei alternativen Konferenzen, in denen es um Pflanzenbewusstsein geht, als Koryphäe auf dem Gebiet gehandelt, als Botschafterin für diejenigen, die an die aufregende Theorie glauben, dass Natur empfindsam ist.

Gagliano ist jedoch nicht die Erste, die uns kognitive Kapazitäten bei Pflanzen näherzubringen versucht. In den 1970er-Jahren wurde ein Buch veröffentlicht, das uns davon überzeugte, dass die Natur mehr zu bieten habe als bisher angenommen.

DAS GEHEIME LEBEN DER PFLANZEN

1973 entging das umstrittene Buch *Das geheime Leben der Pflanzen* erstaunlicherweise seinem Schicksal, in der ruhmreichen Bedeutungslosigkeit der Bibliothek der abgelehnten Wissenschaften zu landen, und tauchte plötzlich an einem Ort auf, an dem es normalerweise niemals hätte sein dürfen: auf Platz 1 der Bestsellerliste der *New York Times*. Weltweit wurden Millionen Exemplare verkauft.

Manchmal geschieht so etwas, sehr zum Missfallen vieler Mitglieder der akademischen Welt. Verfasst wurde *Das geheime Leben der Pflanzen* von Peter Tompkins (Autor von *Secrets of the Great Pyramids* [Die Geheimnisse der großen Pyramiden], in

---

* Ihre Artikel haben nichts davon abschließend bewiesen, sollte ich wohl hinzufügen. Die wissenschaftliche Skepsis ist groß.

dem ganz selbstverständlich davon ausgegangen wurde, dass die Pyramiden in Zusammenarbeit mit Außerirdischen erbaut worden wären) und Christopher Bird (ein ehemaliger CIA-Agent und Harvard-Absolvent, der dort Osteuropäische Studien und Polynesische Anthropologie studiert hatte). Es versprach, dass nach der Lektüre die Leserschaft alles über den Haufen werfen würde, was sie bisher über die Natur zu wissen geglaubt hatte. Außerdem sollte das Buch dabei helfen, die vielen unbekannten, geheimnisvollen Kräfte der Natur kennenzulernen.

Das Material, das die Autoren für das Buch zusammengetragen haben, liest sich wie weit hergeholte Science-Fiction. Darin ist etwa zu lesen, dass Senfkörner mit fernen Galaxien kommunizieren können, gleichzeitig wurden darin eigenwillige Erfinder vorgestellt, wie etwa der Elektroingenieur Thomas Galen Hieronymus. Dieser soll ein Gerät erfunden haben, durch das es Landwirten ermöglicht wird, Insekten zu töten, die sich über ihre Ernte hermachten. Dafür mussten mit seiner Methode allerdings keine Pestizide auf den Feldern verteilt werden, es reichte vollkommen aus, diese mittels instrumentengestützter Fernheilung auf Fotos der Felder zu übertragen. Aber erst die Geschichte eines Experten für Lügendetektoren der CIA veränderte das Bewusstsein der amerikanischen und britischen Gegenkultur und unsere Beziehung zu Pflanzen nachhaltig.

DER MANN, DER MIT PFLANZEN SPRACH

1966 soll es einem Mann namens Cleve Backster zum ersten Mal gelungen sein, mit Pflanzen zu kommunizieren. Das hatte er so natürlich nicht geplant. Wenn er gewusst hätte, dass dies der Augenblick war, an dem Menschen und Pflanzen miteinander ins Gespräch kämen, hätte er die Natur vielleicht mit einer Friedensbotschaft begrüßt. Die Kontaktaufnahme erfolgte jedoch durch eine Drohung, es ging dabei um Verbrennungen.

Es geschah in den frühen Stunden an einem 2. Februar. Backster saß in seinem Büro und schenkte sich gerade eine Tasse Kaffee ein, als sein Blick plötzlich auf die eingetopfte *Dracaena fragrans* fiel und er sich fragte, was wohl passieren würde, wenn er den Drachenbaum an einen seiner Lügendetektoren anschlösse.

Backster war kein Botaniker, ja, er mochte Pflanzen noch nicht einmal besonders. Sein Metier waren Vernehmungen. Als junger Mann hatte er für das Spionageabwehrcorps der US-Armee gearbeitet, wo er durch den Einsatz von Hypnose und Wahrheitsseren zur Aufdeckung feindlicher Geheimnisse eine gewisse Berühmtheit erlangt hatte.[*]

1948 bekam auch die CIA seine Bemühungen mit und stellte ihn als Verhörspezialisten an.

Während er für sie arbeitete, entwickelte er ein Interesse für Lügendetektoren.

Lügendetektoren, die es damals erst seit wenigen Jahrzehnten gab, wurden als Entwicklungen der Zukunft gepriesen. Den damaligen Berichten zufolge handelte es sich dabei für die meisten Kriminellen um Furcht einflößende Maschinen, da viele von ihnen annahmen, sie hätten es mit einer Art Zauberapparat zu tun, dem man nichts vormachen konnte.

---

[*] Ein General der US-Armee soll von Backsters Fähigkeiten sehr beeindruckt gewesen sein. Backster hatte nämlich die Sekretärin des Generals hypnotisiert und sie dazu gebracht, ihm eine Geheimakte zu übergeben.

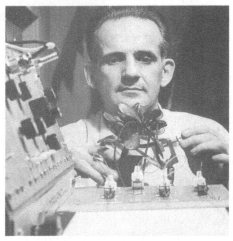

Cleve Backster mit seiner Büropflanze.

Backster verbrachte fast ein Jahrzehnt bei der CIA, bevor er sich seinem ganz eigenen Projekt widmete, der nach ihm benannten Backster School of Lie Detection [Backsters Schule zur Lügenaufdeckung], die über ein Büro in New York verfügte. Dort brachte er FBI-Agenten und NYPD-Polizisten den Umgang mit diesen Maschinen bei.

Und genau dort, in seinem Büro, in den frühen Morgenstunden jenes schicksalsträchtigen Mittwochs dachte er beim Anblick seiner *Dracaena fragrans* darüber nach, wie lange nach dem Gießen wohl das Wasser bräuchte, um von den Wurzeln in die Blätter zu gelangen. Da kam ihm die Idee, er könnte diese Frage möglicherweise lösen, wenn er die Blätter an den Lügendetektor anschlösse. Bei Menschen wird durch den Detektor unter anderem die Veränderung der elektrischen Leitfähigkeit der Haut gemessen, der Theorie nach verändert sich diese nämlich durch das Schwitzen beim Lügen. Backster nahm an, der Lügendetektor werde dieselbe Veränderung an-

131

zeigen, wenn das Wasser aus den Wurzeln in die Blätter steige. Er hatte allerdings nicht erwartet, dass der Stift des Lügendetektors plötzlich nach unten ausschlug. Seltsam, dachte Backster, da dieser bei einem Menschen anders reagiert hätte.

Er fragte sich also, ob er der Pflanze ein besseres Ergebnis entlocken könnte, und entschied sich, diese zu bedrohen. Das war nicht so seltsam, wie es sich gerade für Sie anhört. Der Gedanke dahinter war, dass sich beim Einsatz eines Lügendetektors am Menschen durch Drohungen die besten Ergebnisse erzielen ließen. Da er die Pflanze nicht mit Worten bedrohen konnte, versuchte er es mit dem Zufügen von Schmerzen, also tauchte er eins der Blätter in heißen Kaffee. Auf dem Lügendetektor war jedoch keine Veränderung zu verzeichnen. Vielleicht, überlegte Backster, musste er noch etwas Stärkeres versuchen, weshalb er entschied, das Blatt anzukokeln, an dem die Elektroden befestigt waren.

Das war der Punkt, an dem für Backster das Universum durcheinandergeriet. Gerade als er den Gedanken gefasst hatte, eine Flamme unter das Blatt zu halten, schlug der Lügendetektor nach oben aus, als hätte die Pflanze seine Gedanken gelesen und darauf mit Angst reagiert. Also machte sich Backster daran, die Streichhölzer zu holen, was zu einem neuen Ausschlag nach oben führte. Als er jedoch das Blatt anbrannte, passierte hingegen seltsamerweise nichts. Erst später verstand er, dass die Pflanze vor Sorge ohnmächtig geworden sein musste.

Nachdem er noch mehr Pflanzen gekauft hatte, versuchte Backster, diesen auf jedem nur erdenklichen Wege eine emotionale Reaktion zu entlocken – zuerst probierte er es mit Experimenten, bei denen er sich im selben Raum aufhielt, dann versuchte er es über eine größere Entfernung hinweg.

Er lief mit seinem Notizbuch durch die Straßen New Yorks und schrieb alle möglichen Dinge auf, die ihm passierten, von einer heftigen Auseinandersetzung mit einem Straßenverkäufer bis hin zu einer Situation, bei der er beinahe von einem Auto überfahren worden wäre. Als er zurück in sein Büro kam, traute er seinen Augen kaum, da die Pflanzen in genau jenen Augenblicken ausgeschlagen hatten, als er gestresst gewesen war.

Während er seine Experimente weiterführte, kam Backster immer mehr zu der Überzeugung, dass seine Pflanzen ihm wohlgesonnen sein mussten. Einmal etwa, als er nicht im Büro war, nahm er den genauen Zeitpunkt auf, als er den Gedanken gehabt hatte, wieder zurückzukehren, um seine Pflanzen zu sehen. Als er dann schließlich in seinem Büro ankam, war exakt zu dieser Uhrzeit ein Ausschlag vermerkt. Als wären die Pflanzen aufgeregte Hunde, die am Fenster darauf warteten, dass ihr Herrchen von der Arbeit zurückkäme.

Backster entschied bald, einen Assistenten namens Bob Henson einzustellen, der ihn bei der wachsenden Zahl von Experimenten unterstützen sollte. Gemeinsam entwickelten sie einen Test, bei dem sie polizeiliche Verhörmethoden einsetzten. Als zu Verhörenden suchten sie sich eine *Philodendron cordatum* aus, die sie beide noch nicht kennengelernt hatten, und wandten an ihr die klassische »Guter Cop, böser Cop«-Taktik an. Henson betrat als Erster den Raum, um die Pflanze zu terrorisieren, dann kam Backster herein und versuchte, die Pflanze mit freundlichen Worten aufzubauen. Für Backster verlief das Experiment erfolgreich: Auch wenn sich die Pflanze in seiner Gegenwart nicht sichtlich beruhigte, so habe sie in Hensons Gegenwart doch deutliche Zeichen der Qual gezeigt.

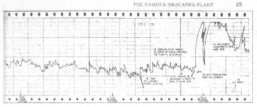

Der Augenblick des Kontakts.

Im Laufe seiner Beobachtungen konnte Backster eine Reihe von seltsamen Entdeckungen machen: Er fand heraus, dass sich Pflanzen bedroht fühlten, sobald ein Hund den Raum betrat, oder dass Pflanzen »ohnmächtig« wurden, wenn sie durch eine Bedrohung überwältigt waren. Backster bemerkte außerdem, dass Pflanzen verunsichert waren, wenn eine Person den Raum betrat, die in der Vergangenheit Pflanzen Leid zugefügt hatte. So kam etwa einmal eine wohlbekannte, jedoch nicht namentlich genannte Wissenschaftlerin zu Backster ins Büro, um sich seine Forschungsergebnisse zeigen zu lassen. Als Backster jedoch die Pflanze an den Lügendetektor anschloss, um seine Erkenntnisse zu präsentieren, bekam er überhaupt keine Reaktion von der Pflanze. Also versuchte er es mit einer anderen, auch dort keine Reaktion. Verwirrt von dem ausbleibenden Ergebnis kam Backster auf die Idee, die Wissenschaftlerin zu fragen, ob diese zufällig bei ihrer Forschung Pflanzen verletze oder zerstöre. Sie antwortete daraufhin, ja, sie zermahle bei ihrer Arbeit scheffelweise Pflanzen. Kein Wunder also, dass die Pflanzen nicht reagierten, dachte sich Backster, schließlich war die Wissenschaftlerin eine Pflanzenmörderin.

Backster wurde immer enthusiastischer, was seine Forschung betraf, die Wissenschaftsgemeinde reagierte jedoch weiterhin reserviert. Sie sah seine Entdeckungen nicht als wissenschaftlich an. Jeder Versuch, seine Ergebnisse zu reproduzieren, scheiterte, und auch die Aufzeichnungen des Lügendetektors führten einige auf die Energieströme in seiner Versuchsanordnung zurück.

Backster ließ sich von der Ablehnung jedoch nicht weiter beeindrucken. Er war viel zu sehr damit beschäftigt, an einer Idee zu arbeiten, die die Welt der Kriminalermittlungen revolutionieren sollte – er wollte eine neue Art Pflanzenpolizisten erschaffen.

PFLANZENBASIERTE KRIEGSKUNST

Backster kam die Idee zu einer Eliteeinheit aus Pflanzenoffizieren, nachdem er während eines Experiments seine Pflanzen darauf getestet hatte, ob diese aus einer Reihe von sechs Verdächtigen den Täter auswählen konnten. Zu diesem Zwecke beauftragte er sechs Studenten, nacheinander einen Raum mit zwei Topfpflanzen zu betreten. Einer von ihnen musste dann eine der beiden Pflanzen »töten«, das heißt, sie aus dem Topf reißen und zertreten. Um sicherzustellen, dass keiner den Mörder kannte, selbst Backster nicht, wurden die sechs Teilnehmer aufgefordert, jeweils einen Zettel aus einem Hut zu ziehen. Nur auf einem dieser Zettel stand die Mordanweisung. Nach Abschluss des Mordauftrags wurde die überlebende Pflanze, die Zeugin der Tat geworden war, an einen Lügendetektor angeschlossen, woraufhin die sechs Studenten, einer nach dem anderen, den Raum erneut betreten mussten. Bei den ersten fünf Teilnehmern des Experiments ließ die Pflanze keinerlei emotionale Reaktion erkennen, als jedoch der sechste ins Zimmer kam, zeigte die Pflanze sofort starken Stress an. Als Backster

den Studenten fragte, ob er der Pflanzenmörder sei, bejahte dieser die Frage. Das Experiment hatte funktioniert.

Backster konnte die neu entdeckten Fähigkeiten der Pflanzen schon bald in der realen Welt testen, als er von der Polizei in New Jersey gerufen wurde, die Hilfe bei der Identifizierung eines Mörders benötigte.

Der Geschichte aus *Das geheime Leben der Pflanzen* zufolge war eine Frau tot in einer Fabrik aufgefunden worden, und es gab weder Zeugen noch Verdächtige. Also hatte die Polizei die Idee, Backster könne alle Menschen, die dort arbeiteten, nacheinander an einen Lügendetektor anschließen. Als Backster jedoch an den Fundort der Leiche kam, entdeckte er etwas, das den Polizisten entgangen war. Schließlich hatten sie ihm erzählt, es habe keine Zeugen gegeben. Das stimmte jedoch nicht. Es gab sogar gleich zwei, und beide waren noch im Raum, in ihren Töpfen.

Einer nach dem anderen wurden die Fabrikarbeiter den Pflanzen vorgeführt, die jedoch nicht reagierten. Wie Backster die Polizisten dazu gebracht hat, seine Methode zu akzeptieren, ist mir wirklich ein Rätsel, aber der Geschichte nach soll Backster am Abend angeordnet haben, beide Pflanzen über Nacht in Schutzgewahrsam zu nehmen, da sie in Lebensgefahr schweben könnten, weil der Mörder schließlich von ihnen wisse. Am nächsten Tag wurde der Rest der Fabrikarbeiter den beiden Pflanzen vorgeführt, aber keine der Pflanzen schaffte es, den Mörder zu erkennen.*

DIE THEORIE DER PRIMÄRWAHRNEHMUNG

Nach und nach entwickelte Backster seine Theorie der »Primärwahrnehmung«, der die Idee zugrunde lag, dass Pflanzen möglicherweise durch eine Art telepathischer Kommunikation mit Menschen in Kontakt treten könnten. Bald schon fragte er sich, ob es nicht nur Büropflanzen waren, die diese Art der Empfindung zeigten. Also fing er an, auch Bananen, Zwiebeln, Salat und Orangen an die Lügendetektoren anzuschließen, um herauszufinden, inwieweit dieses bis dato unbekannte Bewusstsein in der Natur vorkäme. Bei allen pflanzlichen Probanden ließ sich eine positive Reaktion aufzeigen.

---

* Später soll Backster herausgefunden haben, dass die Pflanzen ganz umsonst befragt worden waren, da es sich bei dem Mörder um jemanden handelte, der nicht in der Fabrik arbeitete. Deshalb hatten die Pflanzen nicht reagiert. Interessanterweise ist die Geschichte über Backster und den Fabrikmörder aus allen Neuauflagen von *Das geheime Leben der Pflanzen* entfernt worden. Warum? Hatte die Polizei den Verlag kontaktiert und um das Entfernen der Geschichte gebeten, weil sie nicht wollte, dass sich die Leute angesichts ihrer Methoden aufregten? Vielleicht setzte sich Backster ja auch selbst für die Streichung der Geschichte ein? Oder war diese schlichtweg erfunden?

Kaum vorzustellen, wie großartig sich das für ihn angefühlt haben muss. Vorausgesetzt natürlich, dass er wirklich daran glaubte, was er vertrat. Backster muss sich vorgekommen sein wie der Dr. Doolittle des Obsts und Gemüses.

Plötzlich taten sich völlig neue, scheinbar grenzenlose Möglichkeiten auf, mit der Natur in Kontakt zu treten. Stellt euch vor, was passieren würde, wenn Pflanzen mit menschlichen Wesen telepathisch kommunizieren könnten. Backster malte sich immer neue Pläne für den Einsatz von Pflanzen als Polizisten aus, ja, er glaubte sogar daran, dass sie eines Tages als verdeckte Ermittler in Dschungelkriegen eingesetzt werden könnten, wo sie Informationen über die Position des Feindes an die Basis weitergeben würden. Und was wäre erst mit Raumfahrtmissionen? Warum sollte ein Mensch an die abgelegensten Orte unseres Sonnensystems gesendet werden, wenn stattdessen auch eine Topfpflanze geschickt werden könnte, um Informationen telepathisch an die Einsatzleitung zu übertragen? Was hielt uns noch davon ab, die seltsamsten unbekannten Welten mit dieser neuen Art von pflanzlichen Astronauten zu erkunden?

DIE TOMATENFLÜSTERER

Aber auch Backster war nicht der Erste, der versuchte, mit Pflanzen zu kommunizieren. Bereits viele Menschen vor ihm hatten es sich zur Aufgabe gemacht, die »Pflanzenseele«, wie Aristoteles sie nannte, zu erkunden. Bei Charles und Francis Darwin heißt es in *Das Bewegungsvermögen der Pflanzen*, die Spitze der Wurzeln »[wirke] gleich dem Gehirn eines der niederen Thiere […]; das Gehirn sitzt innerhalb des vorderen Endes des Kopfes, erhält Eindrücke von den Sinnesorganen und leitet die verschiedenen Bewegungen.«* Laut Darwin seien Pflanzen in etwa geformt wie Menschen, die einen Handstand machen – Gehirn am Boden, Genitalien in der Luft. Bei seinen Pflanzenexperimenten ließ er zum Beispiel seinen Sohn den Mimosen stundenlang Fagott vorspielen, um zu sehen, welchen Effekt die Musik auf sie haben könnte. Später schrieb er:

>*Vorgestern und heute beobachtete ich (doch vielleicht wird sich diese Beobachtung als irrtümlich erweisen), dass bestimmte empfindliche Pflanzen von einem langen, eher hohen als tiefen, Fagott-Ton zur Bewegung angeregt wurden.«***

Dann jedoch entschied er, dass diese Experimente nirgendwohin führten, und gab sie auf, er nannte sie seinen »närrischen Einfall«.

Vielleicht hätte er ihnen stattdessen besser vorlesen sollen … 2009 führte die Royal Horticultural Society, die königliche Gartenbaugesellschaft, eine mehrere Monate andauernde Studie durch, um herauszufinden, ob Tomatenpflanzen höher wüchsen, wenn ein Mensch mit ihnen spräche. Zehn Personen wurden zufällig ausgesucht und jeweils einer Pflanze zugeordnet, für die sie ein Hörbuch ihrer Wahl aufnehmen sollten. Mit diesem wurde die Pflanze dann permanent durch einen Kopfhörer, der um ihren Topf gelegt war, beschallt. Als das Experiment zu Ende ging, hatte die am meisten gewachsene Pflanze

---

* Charles Darwin/Francis Darwin: *Das Bewegungsvermögen der Pflanzen*, übersetzt von J. V. Carus. E. Schweizerbart'sche Verlagshandlung, 1881, S. 492.
** Brief Darwins an John Tyndall vom 4. Dezember 1878

das Hörbuch *Der Ursprung der Arten* von Charles Darwin gehört, gelesen von seiner Ururenkelin.*

DER PFLANZEN-SOUNDTRACK

Nicht viele Theorien, wenn überhaupt welche, bekommen einen eigenen Soundtrack – die Theorie über das Empfindungsvermögen von Pflanzen jedoch schon. 1979 wurde *Journey Through The Secret Life Of Plants* von Stevie Wonder veröffentlicht, der Soundtrack zu einem Dokumentarfilm, basierend auf dem Buch *Das geheime Leben der Pflanzen*. Zum Pre-Launch des Albums schickte das Label Motown Werbetütchen mit Blumensamen an die Plattenläden, verbunden mit dem Versprechen, dass, sobald diese keimten, das Album auf dem Markt wäre. Ein amerikanischer Chemiker entwickelte einen besonderen Duft für das Album, durch den es einen pflanzlichen Geruch erhielt. Die technische Abteilung Motowns in London stellte jedoch bei einer Analyse fest, dass einer der Inhaltsstoffe des Duftes vinylzersetzend war, weshalb das Album leider schließlich doch duftlos in Großbritannien veröffentlicht wurde. Bei der Vorstellung des Albums im Botanischen Garten in New York wurden die Kritiker, während

---

* Sarah Darwins Pflanze wuchs 1,6 Zentimeter höher als der Rest der Pflanzen in diesem Experiment. Von den anderen wuchsen diejenigen am meisten, denen Frauenstimmen vorgelesen hatten. Hinzuweisen ist jedoch darauf, dass das Experiment wohl nicht als wissenschaftlich angesehen werden kann (so war etwa die Größe der Stichprobe viel zu klein). Sarah Darwin hatte das Ganze für einen Witz gehalten, da die Anfrage sie am 1. April erreicht hatte. Ein Teilnehmer schrieb mir, dass die Studie zwar die Fantasie der Menschen angeregt habe, die Beteiligten sich jedoch wünschten, sie hätte niemals stattgefunden – was mich allerdings nicht von meinem neuen Hobby abhalten konnte, meinen Zimmerpflanzen YouTube-Videos vorzuspielen, in denen Sarah Darwin Auszüge aus den Büchern ihres Vorfahren liest.

sie beide Seiten der LP hörten, mit vegetarischem Essen verköstigt.

Gemessen an dem Trend der ersten Hälfte der 1970er-Jahre, Pflanzenalben herauszubringen, erschien dieses Album ehrlich gesagt ziemlich spät. Backsters Theorie des Empfindungsvermögens von Pflanzen folgend beschäftigten sich viele Gruppierungen der amerikanischen Gegenkultur mit der neuen Idee der Pflanzenliebe. Musik, die extra für Pflanzen gemacht wurde, war zu jener Zeit total angesagt. Manche Künstler gaben sogar extra für Pflanzen produzierte Alben heraus, die (fast) ausschließlich in Blumengeschäften verkauft wurden. Das 1976 veröffentlichte Album *Mother Earth's Plantasia* von Mort Garson wurde exklusiv nur in zwei Geschäften verkauft: einem Laden in Los Angeles namens Mother Earth, wo es zu jeder Zimmerpflanze das Album kostenlos dazugab, und seltsamerweise auch ein Matratzengeschäft, bei dem nach demselben Prinzip verfahren wurde, zu jedem neu gekauften Produkt gab es das Album kostenlos dazu. In Garsons Begleitheft heißt es dazu:

»Jede Tonhöhe wurde wissenschaftlich genau entworfen, um die Spaltöffnungen deiner Pflanzen, die zum Gasaustausch gedacht sind, ein wenig zu weiten, wodurch sie freier atmen und dadurch auch besser wachsen können. Mit ihnen sprechen? Unserer Meinung nach bringt es euch mehr, mit Pflanzen zu sprechen, als ihnen.«

Der Erfolg des Films und des Soundtracks von *Das geheime Leben der Pflanzen* brachte mit sich, dass auch Backster und seine Lügendetektoren länger im Rampenlicht standen: Backster besuchte zahlreiche Colleges und hielt Vorträge auf der ganzen Welt. Ein Besucher seiner Veranstaltungen beschrieb mir seinen Vortrag in etwa wie eine Wahlkampfveranstaltung von Trump. Er habe jede Menge Aufmerksamkeit auf sich gezogen, da alles, was er erzählte, so unglaublich klang.

Seine Kritiker machten sich allerdings weiterhin über seine Ideen lustig, von Wissenschaftlern, die ihn für einen Scharlatan hielten, bis hin zu Parapsychologen, die versuchten, ihn in Misskredit zu bringen, indem sie ihm vorwarfen, er habe die Lügendetektorergebnisse durch Telekinese verändert.

Die Interviews, die Backster in den 1980er- und 1990er-Jahren führte, sind wirklich aufschlussreich. Oft merkt man den Journalisten zu Beginn große Skepsis an, und selbst wenn sie am Ende nicht als Bekehrte hinausgehen, so sind sie sich dennoch merklich weniger sicher über all das, was sie zuvor dachten. Als sich der Journalist Derrick Jensen ungefähr 30 Jahre nach den ersten Entdeckungen Backsters mit diesem traf, war Backster bereits zu anderen Formen der Primärwahrnehmung übergegangen und versuchte, Jensen während des Interviews davon zu überzeugen, dass Joghurt auf Gefühle reagieren könne. Er füllte Joghurt in ein Testgefäß, an das er Elektroden anschloss, und begann aufzuzeichnen.

Jensen gab zu, das Ganze skeptisch zu sehen, wenngleich er auch aufgeregt war. Als Backster kurz den Raum verließ, versuchte Jensen, eine Reaktion des Joghurts zu provozieren. Er dachte an beunruhigende Dinge wie etwa Entwaldung oder Kindesmissbrauch – aber nichts passierte. Er verwarf seinen Plan und lief im Labor umher. Beim Blick auf eine der Wände fiel ihm ein Werbeposter für eine Schiffsgesellschaft auf, das ihn verärgerte. Als ihm bewusst wurde, dass es ein Moment mit starken Emotionen war, ging er zurück, um nachzusehen, ob der Joghurt diese(n) auch empfunden hatte. Das hatte er – eine klare Spitze war auf dem Graphen zu erkennen.

Backster testete seine Methode nicht nur an Joghurt, sondern auch an menschlichem Sperma. Backster zufolge funktionierte auch das. Mit dem Samen einer Testperson konnte er erfolgreich aufzeigen, dass Sperma in der Lage sei, den eigenen Spender zu identifizieren. Das Sperma wisse also, wer sein Daddy sei.

Backster hielt schriftlich fest, dass die Samenspende in ein Testgefäß mit daran angeschlossenen Elektroden gefüllt worden sei, während sich der Spender mehrere Räume entfernt aufgehalten habe. Dann habe der Spender Amylnitrit inhaliert, um die Blutgefäße zu erweitern, traditionell eingesetzt, um einem Herzinfarkt vorzubeugen. Bereits das Vorbereiten des Amylnitrits soll eine starke Wirkung im Sperma hervorgerufen haben, und als der Spender es inhalierte, drehte das Sperma erst so richtig auf.

Allerdings führte Backster diese Experimente trotz der unglaublichen Auswirkungen seiner Entdeckung nicht weiter fort, da er sich sorgte, Skeptiker könnten sich über ihn lustig machen und ihn über sein »Masturbatorium« befragen.

BACKSTERS ERBE

Ich frage mich manchmal, ob wir eines Tages entdecken werden, dass Backster doch den richtigen Riecher hatte, und eine Art Kommunikationsaustausch mit den Pflanzen unserer Welt beginnen. Cleve Backster starb 2013, nur ein Jahr, nachdem Monica Gagliano anfing, mit Mimosen zu reden, und wenige Jahre bevor Wissenschaftler neue große Entdeckungen im Bereich Pflanzenkommunikation machten.

Aber sind Pflanzen wirklich intelligent? Ich persönlich hoffe ja, dass Backster, auch wenn seine Methoden nicht immer astrein waren, zumindest recht hatte, was seinen Kerngedanken betrifft. Nachdem ich einige Zeit damit verbracht habe, seine Geschichte zu lesen, betrachte ich Pflanzen anders als zuvor.

Das ist mir besonders aufgefallen, als ich kurz nach einem der Lockdowns während der Pandemie durch den königlichen Botanischen Garten Kew Gardens lief. 1840 gegründet gilt Kew als größte und vielfältigste botanische und mykologisch reichhaltigste Sammlung der Welt. Als ich mit meiner Familie darin umherspazierte, bemerkte ich aus der Ferne eine Frau, die einen Baum umarmte. Ihr Gesicht konnte ich nicht sehen, aber ich könnte darauf wetten, dass es entzückt war. Früher hätte ich sie für seltsam gehalten, jetzt beneide ich sie um ihre Verbindung mit der Natur.

Während wir als Familie weiterliefen und die vielen Wunder von Kew bestaunten, kam ich an einem Schild vorbei, auf dem geschrieben stand: »Älteste Topfpflanze der Welt?« Dort wurde außerdem erläutert, dass die Pflanze hinter der Informationstafel 240 Jahre alt sei und aus den Vereinigten Staaten Amerikas auf einem Schiffsdeck hierher transportiert worden war, sodass sie von den Wassertropfen des Meeres auf natürliche Weise gewässert werden konnte. Kaum vorstellbar, was dieser alte Veteran alles für Geschichten zu erzählen hatte. Die Pflanze ist so alt, dass sie eine Art künstlicher Stütze bekommen hat, um aufrecht zu bleiben. Auch da musste ich wieder an Backster und seine eingetopfte *Dracaena fragrans* im Büro denken. Bevor ich weiterging, streckte ich die Hand aus, schüttelte ein Blatt der Pflanze und wünschte ihr alles Gute.

TEIL III

**ES KANN
NICHT FÜR
ALLES EINE
THEORIE GEBEN
UND FÜR MANCHES
DANN DOCH NICHT**

Durchgeknallte Ideen regieren die Welt und hinterlassen überall Spuren. Auch wenn wir sie nicht immer bemerken, sind sie da – direkt vor unseren Augen. Da wäre zum Beispiel Milton Keynes, eine englische Großstadt, die seit Jahrzehnten als seelenlos und langweilig verspottet wird.

Allerdings wissen nur die wenigsten, dass der Architekt Derek Walker die Stadt entworfen hat, und zwar inspiriert durch die Stadtpläne aus einem Buch mit dem Titel *Die Geomantie von Atlantis* von John Michell. Walker gestaltete die Hauptstraße so, dass am Mittsommertag die Sonne genau in ihrer Mitte aufgehen würde. Sogar die Abwasserkanäle legte er nach einer der Ley-Linien an, auf der er erst kürzlich gewandert war.

Durchgeknallte Ideen können für ganze Gegenden existenzsichernd sein. Dutzende Gemeinden in den USA verdienen gutes Geld mit dem Mythos um Bigfoot, auch wenn die einzige Stadt, die tatsächlich »Bigfoot« heißt, nicht dazu gehört[*]. Willow Creek ist mit knapp 2 000 Einwohnern zum Mekka der Monsterjäger geworden. Grund dafür war eine berühmt-berüchtigte Sichtung Bigfoots im Jahr 1967 am Bluff Creek, die von Roger Patterson und Bob Gimlin auf Video festgehalten wurde. Das örtliche Museum macht mit der Geschichte jährlich mindestens 180 000 Dollar Umsatz.

Bigfoot ist eine regelrechte Geldmaschine, nur wenige Konsumgüter sind vom behaarten Fabelwesen verschont geblieben. Allein in meinem Haus (und ich lebe nicht einmal in den USA) gibt es ein Bigfoot-Brettspiel, ein Bigfoot-Plüschtier, mehrere Bigfoot-Bücher sowie Bigfoot-Pflaster im Erste-Hilfe-Koffer. Und in unserem Garten wird es bald eine Bigfoot-Statue geben (wobei ich diesbezüglich noch mit Fenella verhandle; sie wäre eher für eine geschmackvolle Statue der Jungfrau Maria).

Es gibt Bigfoot-Uhren (auch »Sasquwatch« genannt) und sogar Bigfoot-Erotikliteratur, was spätestens seit der US-Kongresswahl 2018 kein Geheimnis mehr ist. Damals wurde Denver Riggleman aus Virginia von seinem Kontrahenten Leslie Cockburn unterstellt, eben solche geschrieben zu haben. Cockburn postete Screenshots von Rigglemans Social-Media-Accounts, auf denen dieser seinen neuen Roman *The Mating Habits of Bigfoot and Why Women Want Him* [Das Paarungsverhalten von Bigfoot und warum die Frauen ihn wollen] ankündigte. Riggleman bestritt, einen solchen Roman verfasst zu haben. Zuvor hatte er jedoch tatsächlich bereits einen nicht erotischen Bigfoot-Roman geschrieben: *Bigfoot Exterminators Inc.: The Partially Cautionary, Mostly True Tale Of Monster Hunt, 2006* [Bigfoot-Bezwinger GmbH & Co. KG: Die teil-

---

[*] Bigfoot, Texas, ist nicht, wie man vielleicht erwarten würde, nach dem geheimnisvollen Monster benannt. Der Name ehrt stattdessen einen Sheriff aus der Gegend, der angeblich ziemlich große Füße gehabt haben soll.

weise abschreckende und größtenteils wahre Geschichte der Monsterjagd, 2006]. Nach der Kontroverse veröffentliche Riggleman seine Memoiren unter dem Titel *Bigfoot … It's Complicated* [Bigfoot … es ist kompliziert]. Darin erklärt er, niemals über das Sexleben des Kryptiden berichten zu wollen, und beschrieb gleich im nächsten Kapitel Bigfoots Genitalien in allen Einzelheiten.

Ich würde dem Republikaner aus Virginia wirklich raten, seinen Roman zu veröffentlichen, da wir dank Virginia wissen, dass man damit gutes Geld verdienen kann. 2011 veröffentliche die amerikanische Autorin Virginia Wade eine Reihe von Bigfoot-Sexbüchern, angefangen mit *Cum for Bigfoot*.* Ein Jahr später konnte sie bereits über 100 000 E-Books-Downloads verzeichnen und hatte damit in manchen Monaten rund 30 000 Dollar verdient. Bis heute bringt sie Monster-Erotika heraus, wenn auch mittlerweile mit esoterischem Anklang, wie zum Beispiel *Namaste with Sasquatch* aus dem Jahr 2018.

Seit 2021 ist die Jagd nach Bigfoot in Oklahoma lizenzpflichtig, aber es winken immerhin 25 000 Dollar Finderlohn, wenn man Bigfoot tatsächlich fängt. Andernorts gibt es ähnliche Regelungen, um die unzähligen schwer bewaffneten Bigfoot-Jäger in den US-amerikanischen Wäldern einigermaßen im Zaum zu halten. Bei den Dreharbeiten von *Die Rückkehr der Jedi-Ritter* stellten diese eine ernsthafte Bedrohung dar: Peter Mayhew, Darsteller von Chewbacca, musste ständig von Crewmitgliedern in Warnkleidung begleitet werden, um von den Spinnern nicht erschossen zu werden.

---

* Hier eine inoffizielle Leseprobe: »Das ist Bigfoot, verdammt«, zischte Shelly. »Ach du Scheiße, es gibt ihn wirklich.« Sie riss vor Schreck die Augen auf. »Und er hat einen riesigen Schwanz.«

So ein Mythos kann steinreich machen. Einem *Forbes*-Artikel aus 2018 zufolge erwirtschaftet Schottland jährlich etwa 60 Millionen Pfund allein mit Tourismus rund um das Monster von Loch Ness. Auch hierzu habe ich gern meinen Teil beigetragen und ein T-Shirt gekauft.

Leute, die mit irrwitzigen Theorien zu tun haben, müssen diese oft ausschlachten, um über die Runden zu kommen. Meist bleibt diesen fragwürdigen Berühmtheiten keine andere Wahl. Ich erinnere mich etwa an John Wayne Bobbitt, über den ich gelesen habe, dass seine Frau ihm nach einem Streit den Penis abhackte. Er war gezwungen, aus der Situation Profit zu schlagen, um die Gerichtskosten und Arztrechnungen begleichen zu können. Zu diesem Zweck gründete er eine Band namens The Severed Parts [Die abgetrennten Teile]. Außerdem spielte er in den Pornofilmen *John Wayne Bobbitt Uncut*, *Frankenpenis* und *Buttman at Nudes a Poppin' 2* mit.

Wäre man in den 1960er-Jahren zum Dealey Plaza in Dallas, Texas, dem Schauplatz des Kennedy-Attentats, gereist, hätte man dort womöglich eine alte Frau angetroffen, die vor dem ehemaligen Lager- und Bürogebäude Texas School Book Depository für 5 Dollar ihre Unterschrift verkaufte: »Marguerite Oswald, Mutter von Lee Harvey Oswald«. Marguerite Oswald, die fest an die Unschuld ihres Sohnes glaubte, war oft knapp bei Kasse und appellierte dort an alle Menschen, die ihn ebenfalls für unschuldig hielten. Später veröffentlichte sie sogar eine Platte mit dem Titel *The Oswald Case: Mrs. Marguerite Oswald Reads Lee Harvey Oswald's Letters from Russia* [Die Oswald-Akte: Mrs. Marguerite Oswald liest Lee Harvey Oswalds Briefe aus Russland]. Die Aufnahme ist auf Spotify frei verfügbar, falls es Sie interessiert.

Während ich diese Zeilen schreibe, schaue ich mir übrigens einen 24-Stunden-Livestream vom Dealey Plaza an. Die Kamera zeigt Oswalds Blickwinkel vom sechsten Stock, aus dem er JFK erschoss. Im Hintergrund ist ein auf die Straße gemaltes »X« zu sehen. Ein Goldschatz liegt dort nicht vergraben, vielmehr handelt es sich um die Stelle, an der sich das Auto des Präsidenten befand, als die Kugel ihn traf. Immer mal wieder wird Werbung im Livestream eingeblendet. Ja, sogar die Webcam ist monetarisiert. Während ich den Livestream schaue, wird die Perspektive des Attentäters von einer Tourismuskampagne mit dem Slogan »Buenos Aires ist zurück« gesponsert.

Als Ex-Fußballspieler Javi Poves 2019 seinen ehemaligen Madrider Verein UD Móstoles Balompié aufkaufte, benannte er ihn in »FC Flat Earth« um. In einem Interview erklärte er seine Entscheidung folgendermaßen:

> »Vor zwei Jahren begann ich, die Welt mit anderen Augen zu sehen, weil ich Wasser beobachtete ... Irgendwann fragte ich mich, wie es sein kann, dass Wasser sich biegt. Niemand konnte es mir erklären. Sie sagten, es liege an der ›Schwerkraft‹. Natürlich gibt es Schwerkraft, aber inwiefern verbiegt sie Wasser? In einem Glas ist es jedenfalls nicht gebogen, in meiner Badewanne auch nicht, und im Pool meines Nachbarn genauso wenig.«

Poves ist überzeugt, durch den Namenswechsel sei zum ersten Mal ein Fußballverein entstanden, der die Menschen zum Nachdenken bringe. Auch dass der Verein es in die zehn spanischen Vereine mit den größten internationalen Fangemeinden schaffte, sei laut Poves dem neuen Namen zu verdanken. (Poves hat sich inzwischen zurückgezogen, und der Verein wurde wieder umbenannt, was für Merch-Fanatiker wie mich ziemlich schade ist.)

Ganze Nationen haben bereits verrückte Theorien zu ihrem finanziellen Vorteil ausgeschlachtet. In Bermuda hat die Regierung zum Beispiel einmal dreieckige Geldstücke prägen lassen. Auf den 1-, 3- und 9-Dollar-Münzen von 1996 ist die Karte von Bermuda samt sinkendem Schiff und Kompass abgebildet. Heute sind diese Münzen für etwa 1500 Dollar auf eBay gelistet. Die letzte dreieckige Münze wurde 2007 geprägt.

Und in Shingo, Japan, kann man Sake aus der »Heimatstadt von Jesus Christus« kaufen, inklusive kleiner Tässchen mit Kreuzen und Christus-Karamellen. Damit soll gefeiert werden, wofür die Stadt berühmt ist: die Theorie, dass Jesus Christus nicht in Jerusalem ans Kreuz genagelt wurde, sondern stattdessen nach Shingo floh, wo er im Alter von 106 Jahren starb und beerdigt wurde.

Das Grabmal von Jesus Christus.

Der Geschichte nach wurde Jesus bei der Kreuzigung durch seinen Bruder ersetzt, was Jesus das Leben rettete. Daraufhin floh er in Richtung Japan, an einen Ort, den er gut kannte, da er in seinen jungen Jahren dort studiert hatte. Zunächst reiste er durch Sibirien, dann durch Alaska, wo er ein Boot bestieg, das ihn bis nach Japan brachte. Um sich in Shingo zu integrieren, nahm er den japanischen Namen Torai Taro Daitenku an und baute Knoblauch an. Schließlich heiratete er eine Frau namens Miyuko und bekam drei Töchter mit ihr.

Jesus' Grabstätte in Shingo wurde jahrelang von der Familie Sawaguchi beschützt und gepflegt. Über Generationen hinweg hielt sich der Glaube, ein wichtiger Mann läge dort begraben. Die Geschichte wurde vom Aussehen des Familienältesten und seiner Schwester gestützt: Beide hatten blaue Augen, wodurch die Sawaguchis zumindest genetisch als Nachfahren von Jesus infrage zu kommen schienen. Auch andere seltsame Dinge gingen in der Stadt vor sich. Die Einwohner praktizierten Bräuche, die nirgendwo sonst in Japan verbreitet waren. Zum Beispiel wickelten sie Neugeborene in Tücher, die mit dem Davidstern bestickt waren, und malten ihnen mit schwarzer Tinte ein Kreuz auf die Stirn.

Seit den 1960er-Jahren gibt es in Shingo ein alljährliches »Christus-Festival«, und 1997 wurde ein kleiner Ausstellungsraum errichtet, in dem Besucher interessante Fakten über die Stadt lernen können – unter anderem den früheren Namen »Herai«, der denselben Wortstamm hat wie »Hebräer«. Jedes Jahr pilgern über 20 000 Menschen nach Shingo, um Jesus an seinem Grab die letzte Ehre zu erweisen. Die Pflege und Instandhaltung des Grundstücks, auf dem sich das Grab befindet, wird freundlicherweise von der örtlichen Joghurt-Fabrik finanziert.

Der einzige Einwohner Shingos, der sich nicht an dem gesteigerten Tourismus bereichert, ist der angebliche direkte Nachfahr von Jesus: der Japaner Junichiro Sawaguchi, ein Beamter, der aus einer Familie von Knoblauch-Bauern stammt. Sawaguchi weiß, dass man ihn für den Nachfahren des Heilands hält, aber als bekennender Buddhist hat er kaum einen Grund, damit hausieren zu gehen.

Lassen Sie uns im letzten Teil dieses Buches einen Blick auf ein paar Theorien werfen, die unsere heutige Welt auf unerwartete Weise geprägt haben …

KAPITEL 10

WIE MAN DIE WÜTENDEN ZWILLINGE DES MARS ENTDECKT

DIE THEORIE DES NTOMARHIYDIONHGARNAYGNIAR

1610 erreichte den Astronomen Johannes Kepler ein Schreiben von seinem universell gebildeten Freund Galileo Galilei. Darin stand:

SMAISMRMILMEPOETALEUMIBUNENUGTTAUIRAS

Obwohl Kepler sich nicht erklären konnte, was das zu bedeuten hatte, fühlte er sich geehrt. Der Brief war ein Zeichen des Respekts – Kepler hatte es endlich auf Galileos »Ich habe etwas herausgefunden, aber ich sage dir nicht, was«-Liste geschafft. Im 17. Jahrhundert war es für Wissenschaftler üblich, ihren Zeitgenossen und Rivalen verwirrende Briefe zu schicken, in denen nur Kauderwelsch stand. Robert Hooke tat es ebenso wie die anderen führenden Wissenschaftler Isaac Newton, Christiaan Huygens und Christopher Wren.

Es handelte sich bei den Unsinnswörtern um Buchstabenrätsel, die bei korrekter Decodierung die neuesten Theorien des Absenders offenlegten. Mit dem Brief wollte Galileo Kepler mitteilen, dass er etwas entdeckt hatte. Die Einzelheiten waren noch nicht geklärt, daher konnte Galileo seine Erkenntnisse nicht publik machen. Doch für den Fall, dass Kepler dieselbe Entdeckung machen würde, war dieser Brief der Beweis, dass Galileo zuerst darauf gekommen war. Im Grunde waren solche Briefe dazu da, sich wissenschaftliche Entdeckungen zu reservieren.

Als Kepler den Brief von Galileo erhielt, freute er sich nicht nur, er war auch nervös. Schon seit geraumer Zeit war er kurz davor, beweisen zu können, dass der Mars zwei Monde hatte. Nun befürchtete er, dass Galileo, der bekannt für seine Entdeckungen planetarer Monde war, ihm zuvorgekommen wäre.[*]

Also begann er, Galileos Buchstabenrätsel zu entschlüsseln. Nach ein wenig Kniffelei hatte er den Code schließlich geknackt:

Salve umbistineum geminatum Martia proles.
Oder auch: Seid gegrüßt, wütende Zwillinge, Kinder des Mars.[**]

---

[*] Keplers Annahme, dass der Mars zwei Monde hat, beruhte erstens auf mathematischen Modellen und zweitens auf der Beobachtung, dass die Erde einen Mond hatte, der Jupiter vier und sich der Mars zwischen Erde und Jupiter befand.

[**] Der Satz lässt sich auf viele weitere Arten übersetzen, zum Beispiel als »Hallo, feurige Zwillinge, Sprösslinge des Mars« oder »Gegrüßt seid ihr, kugelige Zweisamkeit, Kinder des Mars«.

Johannes Kepler.

Für Kepler war dies der endgültige Beweis, dass seine Theorie stimmte. Sofort bat er um eine Audienz beim damaligen Kaiser des Heiligen Römischen Reiches Rudolf II., der ihn als Reichsmathematiker ernannt hatte. Schon bald würde er sich die nächste große astronomische Entdeckung in den Lebenslauf schreiben können, der sowieso schon eindrucksvolle Erfolge verzeichnete – darunter der Beweis, dass sich das Sonnensystem in elliptischen Bahnen bewegte; ein Beleg für Kopernikus' Theorie, dass die Erde sich um die Sonne drehte; und die Entdeckung der drei Kepler'schen Gesetze des Umlaufs der Planeten um die Sonne.

Doch nicht nur mit wissenschaftlichen Erfolgen konnte Kepler sich schmücken, er galt auch als einer der besten Anwälte des 17. Jahrhunderts – und das, obwohl er nur an einem einzigen Prozess beteiligt war: Es gelang ihm, dass seine Mutter Katharina Kepler von der Anklage freigesprochen wurde, sich in eine Katze verwandelt zu haben.

Der Hexerei beschuldigt zu werden, geschah im 16. und 17. Jahrhundert häufig. Allein in Europa wurden damals rund 50 000 Menschen deshalb hingerichtet. Es wären sicherlich halb so viele gewesen, hätten sie alle ihren persönlichen Kepler als Verteidiger gehabt. Kepler hatte sein wissenschaftliches Werk beiseitegelegt, um sich dem Unschuldsbeweis seiner Mutter anzunehmen und sich den Anschuldigungen zu widmen: Seine Mutter sei von einer Tante großgezogen worden, die eine Hexe war und auf dem Scheiterhaufen verbrannt worden sei (das stimmte nicht); sie habe Zaubertränke gebraut und verkauft (das stimmte auch nicht, obwohl es sicherlich nicht half, dass sie ihr Essen in einem großen schwarzen Kessel kochte und Fledermausflügel als Zutat in ihrem Küchenschrank aufbewahrte); und sie habe, wie bereits erwähnt, die Gestalt gewechselt. Schließlich gewann Kepler den Fall, und seine Mutter wurde freigelassen.

Rudolf II. wollte einen Beleg für Keplers Entdeckung der Marsmonde und wandte sich an Galileo, um sich zu vergewissern, dass Kepler dessen Buchstabenreihe richtig gedeutet hatte. Das hatte er nicht. Kepler lag völlig falsch. Die wahre Botschaft lautete wie folgt:

Altissimum planetam tergeminum observavi.
Ich beobachtete den höchsten Planeten in dreigestaltiger Form.

Das Buchstabenrätsel bezog sich auf Galileos neueste Theorie, dass der Saturn zwei Monde hätte. Zu diesem Schluss war er gekommen, nachdem er durch sein Teleskop etwas Verschwommenes um den Planeten herum entdeckt hatte. Es erinnerte ihn an ein Ohrenpaar, und in einem Brief an seinen Förderer Cosimo de Medici skizzierte er es mithilfe von drei Kreisen als »oOo«. Galileo irrte sich – was er gesehen hatte, waren in Wahrheit die Ringe des Saturn. Leider war sein Teleskop nicht modern genug, um ihm einen scharfen Blick auf sie zu gewähren.

Seltsamerweise sah Kepler nicht ein, dass seine Deutung der Buchstabenfolge falsch gewesen war. Er wollte unbedingt als Entdecker der Marsmonde gelten und weigerte sich, anzuerkennen, dass er die falsche Botschaft herausgelesen hatte. Dabei war dies offensichtlich der Fall, da bei seiner Lösung ein paar Buchstaben übrig blieben.

Kepler starb 1630, ohne bewiesen zu haben, wie viele Monde der Mars tatsächlich hatte. Erst 267 Jahre später sollte es gelingen. Der amerikanische Astronom Asaph Hall machte 1877 die Entdeckung: Es gab zwei.

Deimos und Phobos, wie sie heißen, sind etwa 100-mal kleiner als der Mars, was es außerordentlich schwer macht, sie am Nachthimmel zu erkennen. Das erklärt wohl, warum kein Astronom zwischen Kepler und Hall sie je zu Gesicht bekommen hatte.

Doch Kepler war nicht als Einziger bereits vor Hall darauf gekommen, wie viele Trabanten den roten Planeten umkreisten. Auch in Jonathan Swifts Roman *Gullivers Reisen* aus dem Jahr 1726 findet sich eine Passage zu dem Thema. Die Wissenschaftler aus Laputa hatten in diesem Buch

»[...] ferner zwei kleinere Sterne oder Satelliten entdeckt, die sich um den Mars drehn, von denen der innere von dem

Hauptstern um genau drei seiner Durchmesser entfernt ist, der äussere aber um fünf; jener vollendet seinen Umlauf in zehn Stunden, dieser in zwanzig und einer halben.« [*]

Das Rätsel, woher Jonathan Swift von den beiden Monden wusste, beschäftigt die Wissenschaft schon lange. Heutzutage geht man davon aus, dass Swift mit Keplers Annahmen vertraut war und die Anekdote von der fehlinterpretierten Buchstabenfolge parodieren wollte. Trotzdem ist es nicht zu erklären, wie Swift ein Jahrhundert vor Asaph Hall so präzise die Größe, Umlaufzeit und Entfernung der Monde zum Mars bestimmen konnte. Deimos braucht 30,3 Stunden und Phobos 7,7 Stunden, um den Mars zu umkreisen. Die Laputaner maßen 21,5 und 10 Stunden. Und während die Monde in Wahrheit 1,4- beziehungsweise 3,5-mal so weit entfernt vom Mars sind, wie der Mars breit ist, sind sie es bei den Laputanern 3- beziehungsweise 5-mal.

Viele vermuten, dass Swift diese Zahlen in Büchern gefunden hatte, die inzwischen längst verschollen sind. Andere nehmen an, dass er seinen Freund Dr. John Arbuthnot, einen schottischen Arzt und Universalgelehrten, konsultierte, um die Werte selbst auszurechnen. Doch der Wissenschaftler V. G. Perminov, leitender Raumschiff-Entwickler der sowjetischen Mars- und Venus-Missionen, hatte eine andere Theorie darüber, wie Swift an die Informationen gelangt sein konnte.

Im Vorwort seines Buches *The Difficult Road to Mars* [Der schwierige Weg zum Mars] schreibt Perminov,

---

[*] Swift, Jonathan: Prosaschriften, 4. *Gullivers Reisen*, hrsg. von Felix Paul Greve, Erich Reiss Verlag, 1910, S. 266, Übersetzer*in unbekannt.

Jonathan Swift, Autor und Wahrsager?

»[...] es sei möglich, dass der englische Schriftsteller J. Swift in der Lage war, Aufzeichnungen zu finden und zu deco-dieren, die die Marsianer auf der Erde hinterlassen haben. Mithilfe dieser Unterlagen konnte Swift lange vor ihrer Ent-deckung voraussagen, dass der Mars zwei Trabanten hat. Einen von ihnen nannte er Phobos (Angst), den anderen Deimos (Schrecken) und bestimmte mit größter Genauig-keit die Parameter ihrer Umlaufbahnen.«

Diese steile These, die am Anfang einer sonst eher trockenen wissenschaftlichen Abhandlung steht, geht folgendermaßen weiter: »Vermutlich haben die Marsianer bei ihrem Besuch auf der Erde absichtlich Spuren hinterlassen. Womöglich haben sie in Südamerika große Start- und Landebahnen angelegt, in Indien eine eiserne Säule errichtet (heutzutage kann chemisch reines Eisen nur noch im Labor hergestellt werden) und die rätselhaften Pyramiden in Ägypten erbaut.«

Wir werden wohl nie erfahren, woher Swift seine Informationen hatte, aber seine korrekte Schätzung wird für immer Teil der Geschichte um die Marsmonde sein. Ihre Krater und Kämme tragen heute die Namen von zahlreichen Figuren und Orten aus Swifts Roman.

KAPITEL 11

DER MANN, DER NICHT VOM HIMMEL FIEL

DIE THEORIE DES UNFASSBAREN GLÜCKS

Über die Jahre wohnten im Weißen Haus eine Menge Präsidenten, die, man kann es nicht anders sagen, ein klein wenig durchgeknallt waren: Franklin D. Roosevelt litt unter Triskaidekaphobie (der Angst vor der Zahl 13) und vermied es um jeden Preis, an einem Freitag auf Reisen zu gehen; Jimmy Carter war überzeugt davon, dass er 1969 während seiner Amtszeit als Gouverneur in Leary, Georgia, ein UFO gesehen hatte, und reichte sogar einen Bericht dazu beim Internationalen UFO-Büro in Oklahoma City ein*; und als Harry S. Truman Präsident wurde, hängte er ein Hufeisen über den Eingang zum Oval Office, um böse Geister abzuwenden und Glück heraufzubeschwören.

Truman war nicht der einzige Präsident, der an Glück glaubte. William McKinley, der 25. Präsident der Vereinigten Staaten, glaubte auch daran, und zwar sehr. McKinleys Glücksbringer waren rote Nelken. Er maß ihnen eine immense Bedeutung bei, nachdem er zu Beginn seiner Karriere ein Exemplar am Revers getragen und damit eine Debatte gewonnen hatte. Bei jedem Meilenstein seiner Karriere hatte er eine dabei – vom Einzug ins Repräsentantenhaus 1887 bis hin zu seiner Präsidentschaftskampagne 1896. Schließlich gewann er die Präsidentschaftswahl und trug die Nelke fortan dauerhaft an der Brust.

McKinley war so fasziniert vom Glück, dass er Mitglied eines »Unglücksclubs« wurde. Der Thirteen Club war 1882 von einem Mann namens Captain Fowler ins Leben gerufen worden, einem Veteranen des Amerikanischen Bürgerkriegs. Der Club bestand aus dreizehn Mitgliedern, die sich an jedem Freitag, den 13., um 19.13 Uhr zum Abendessen trafen. Um sich an den Esstisch zu setzen, musste man erst unter einer Leiter hindurchgehen und Salz verschütten, ohne danach welches über die Schulter zu werfen. Der Tisch stand inmitten von geöffne-

---

* Es gibt viele Theorien darüber, worum es sich bei Carters UFO in Wirklichkeit gehandelt haben könnte – von bunten Wolken als Folge von Militärexperimenten bis hin zu Planeten, genauer gesagt der Venus. Was auch immer es gewesen war, Carter ließ der Anblick nicht mehr los: »Eins steht fest: Ich werde mich niemals über Leute lustig machen, die sagen, sie hätten unbekannte Flugobjekte am Himmel gesehen. […] Wenn ich Präsident werde, […] werde ich alle Informationen, die dieses Land über UFOs besitzt, der Öffentlichkeit und der Wissenschaft zugänglich machen.« Als Carter im Amt war, gab er keine einzige Information preis.

ten Regenschirmen, und manche Mitglieder zerbrachen während des Abendessens fröhlich Spiegel.

Für McKinley war es leider 1901 mit dem Glück vorbei. Bei einem öffentlichen Auftritt in Buffalo, New York, lernte er die zwölfjährige Myrtle kennen. McKinley war entzückt von Myrtle und schenkte ihr seine rote Nelke, was er sonst niemals tat. »Eine Blume für die kleine Blume«, sagte er und reichte ihr die Glücksblüte. Normalerweise hätte er die Nelke schnellstmöglich ersetzt, aber dieses Mal blieb ihm dafür keine Zeit. Nur wenige Augenblicke später wurde McKinley von einem Attentäter niedergeschossen, der ein paar Meter von Myrtle entfernt stand. Der Präsident wurde umgehend ins Krankenhaus eingeliefert, wo er sofort notoperiert wurde. Im Gegensatz zu Reagan, der dank des Einsatzes hochqualifizierter Ärzte aller Fachgebiete überlebte, stand McKinley nur ein Gynäkologe zur Verfügung. Der Präsident starb acht Tage später.

Der arme McKinley. Wenn er doch bloß seine rote Nelke behalten hätte, vielleicht wären ihm dann noch viele weitere Lebensjahre vergönnt gewesen. Aber gibt es überhaupt so etwas wie Glück? Hätte die rote Nelke einen Unterschied gemacht? Zu sagen, dass jemand Glück hat, ist meist ein Widerspruch in sich. Denn um wirklich Glück zu haben, muss man in der Regel erst einmal Pech gehabt haben. Kann man da denn wirklich noch von Glück sprechen?

Das größte Glück auf Erden wird oft einem Mann zugeschrieben, dem zuvor furchtbare Dinge widerfahren sind: Frano Selak aus Kroatien.

Selaks Glücks- bzw. Pechsträhne begann 1962, als er im Zug von Sarajevo nach Dubrovnik saß und dieser entgleiste und in ein Flussbett stürzte. Siebzehn Menschen starben dabei, doch aus irgendeinem Grund überlebte Selak und wurde zurück ans

Ufer gebracht. Im Jahr darauf trat Selak seine erste Flugreise an. Alles lief glatt, bis etwa auf der Hälfte der Strecke die Flugzeugtür aufsprang und es Selak aus der Maschine riss. Er überlebte nur, weil er, das Glück auf seiner Seite, auf einem Heuhaufen landete. Die anderen 19 Passagiere kamen hingegen ums Leben, da das Flugzeug abstürzte.

Selak beschloss, nie wieder einen Fuß in ein Flugzeug zu setzen, und trat 1966 eine Busreise an. Doch auch auf dieser Reise musste er abermals um sein Leben kämpfen, als der Bus von einer Brücke abkam und in einen Fluss stürzte. »Spätestens seit diesem Vorfall bekomme ich keinen Besuch mehr von Freunden«[*], erzählte er Journalisten. Weitere Unfälle ereigneten sich: 1970 fuhr Selak gerade Auto, als dieses plötzlich in Flammen aufging – glücklicherweise konnte er aussteigen, bevor es explodierte. Drei Jahre später geriet Selak mit einem anderen Auto wieder in einen Unfall: Riesige Flammen traten in Folge eines Motoröl-Lecks aus den Belüftungsschlitzen aus und setzten seine Haare in Brand. 1995 wurde er von einem Bus angefahren.

1996 hatte er schließlich das Glück, eine Frontalkollision mit einem Lastwagen verhindern zu können, indem er auf eine Schutzplanke zusteuerte, woraufhin er und sein Auto unglücklicherweise eine 90 Meter tiefe Klippe hinabstürzten. *Zum Glück* war er nicht angeschnallt, denn so konnte er schleunigst aus dem Auto klettern, nach dem nächstbesten Ast am Rande des Berges greifen und mitansehen, wie sein Auto in die Tiefe stürzte. Hatte Frano Selak wirklich Glück? Nein, fand er, und sagte dazu einmal in einem Interview: »Ich denke, ich hatte ziemliches Pech, überhaupt in solche Situationen zu ge-

---

[*] Aus dem Artikel *Fortune smiles on unluckiest man* in *The Scotsman* vom 18. Juni 2003

raten. Aber die Leute wollen nur das hören, woran sie sowieso schon glauben.«[*]

DER UNMÖGLICHE PILOT

Grahame Donald, oder auch Air Marshal Sir David Grahame Donald, KCB, DFC, AFC, um all seine Titel zu nennen, war ein vielfach ausgezeichneter Pilot der Royal Navy und Royal Air Force und hatte in beiden Weltkriegen gedient. Er war außerdem überzeugt davon, bei einem seiner Flüge etwas schier Unmögliches erreicht zu haben.

In Joshua Levines Buch *On a Wing and a Prayer*[**] erzählt Donald die Geschichte wie folgt:

»Als ich in 6 000 Fuß Flughöhe langsam auf den Landeplatz zusteuerte, beschloss ich, ein neues Manöver auszuprobieren, das bei zukünftigen Kämpfen vielleicht von Nutzen sein könnte. Ich wollte einen halben Looping machen, dann das Flugzeug umdrehen und in die entgegengesetzte Richtung weiterfliegen. Den halben Looping habe ich geschafft, aber ich flog zu langsam und hing eine Weile kopfüber in der Luft. Mit einem robusten Sicherheitsgurt wäre das sicherlich kein Problem gewesen – aber unsere Standardgurte waren alles andere als sicher. Meiner dehnte sich zuerst, und plötzlich rutschte ich geradewegs hindurch und fiel aus dem

---

[*] Andrew Hough: *Frano Selak: 'worlds luckiest man' gives away his lottery fortune* in *The Telegraph*, 14. Mai 2010

[**] Anm. der Übers.: Eine wörtliche Übersetzung des Titels wäre »Auf einem Flügel und einem Gebet«, es handelt sich hierbei aber auch um eine Redewendung, die etwa »mit wenig Aussicht auf Erfolg« oder »auf gut Glück« bedeuten kann.

Air Marshal Sir David Grahame Donald, KCB, DFC, AFC.

Cockpit. Zwischen mir und dem Boden war nichts als Luft. Die ersten 2000 Fuß lagen schnell hinter mir, und das Festland sah in der Tat ganz schön fest aus. Dann hörte ich plötzlich meine treue Camel. Auf einmal fiel ich in sie zurück. Ich konnte mich an ihrer oberen Tragfläche festhalten, was mich davor bewahrte, mitten in den Propeller zu schlittern, der wunderschön in der Abendsonne glitzerte.«

So unmöglich es auch klingt, Donald beschreibt hier, wie die Sopwith-Camel-Maschine den Looping ohne ihn zu Ende brachte. Als er die besagten 2000 Fuß hinabgestürzt war, befand sich das Flugzeug somit genau an der richtigen Stelle, um ihn aufzufangen.

Aber auch dann war es alles andere als ein reibungsloser Flug für Donald. Als er die Maschine zu fassen bekam, rauschte sie mit 140 Meilen pro Stunde durch die Luft. Irgend-

wie schaffte Donald es, sich mit einer Hand und einem Fuß an der Innenseite des Cockpits festzuklammern. Doch seine Versuche, die Maschine unter Kontrolle zu bringen, verschlimmerten die Situation nur, und das Flugzeug geriet ins Schleudern. Auf einer Höhe von 2 500 Fuß über dem Boden gelang es Donald schließlich, mit seinem Fuß den Steuerknüppel zu betätigen und das Flugzeug in einen sanften Gleitflug zu bringen.

Der einzige Haken daran war, dass das Flugzeug immer noch verkehrt herum flog. Donald konnte es umdrehen und in nur noch 800 Fuß Flughöhe eine sichere Landung einleiten. Auf dem Boden angekommen, musste Donald traurigerweise feststellen, dass niemand sein wundersames Manöver mitbekommen hatte. Aus irgendeinem Grund stand er ganz allein da. Später erfuhr er, wieso:

>*Der Flugplatz war leer gefegt, alle Teilnehmer der Staffel waren mysteriöserweise verschwunden. Kurz darauf tauchten überall Köpfe auf – wie die Kaninchen kamen sie aus allen möglichen Löchern. Offenbar war ich beim Betätigen des Steuerknüppels an zwei Notknöpfe geraten und hatte damit einen Kugelregen auf den Flugplatz ausgelöst. Klugerweise suchte die Bodencrew sofort in dem nächstbesten Graben Schutz.*«

Die Geschichte klingt absolut unplausibel. Aber ich glaube sie dennoch. Und einige Piloten, die ich befragt habe, halten sie ebenfalls für nicht gänzlich unmöglich.[*] Für Mark Welsh, einen Piloten mit über 30 Jahren Flugerfahrung, klang der Vorfall ziemlich unwahrscheinlich: »Um einen Looping zu fliegen, muss man durchgehend den Steuerknüppel anziehen. Wenn er wirklich kopfüber aus der Maschine gefallen ist, gab es nichts, was die Maschine dazu gebracht hätte, den Looping zu beenden. Sie wäre ziellos durch die Luft geirrt und irgendwann abgestürzt.« Physikalisch gesehen sei das nicht unmöglich, meinte hingegen der British-Airways-Pilot James Richardson. »Die meisten Flugzeuge würden auch ohne das Eingreifen eines Piloten den zweiten Teil des Loopings schaffen und sich danach in eine gerade Flugbahn stabilisieren, wie der Autor es beschreibt. Bei relativer Windstille könnte es sogar sein, dass sich die Wege des Flugzeugs und des Piloten kreuzen. Aber ehrlich gesagt braucht man schon etwas Fantasie, um sich das Ganze vorzustellen!«

Wenn der Vorfall sich tatsächlich so zugetragen hat, dann muss wohl eine ganze Menge Glück im Spiel gewesen sein.

---

[*] Nur damit das klar ist: 90 Prozent der von mir befragten Piloten hielten die Geschichte für vollkommen hanebüchen.

Glück oder Unglück, oder wie auch immer man es nennen will, ist genau das, was Dennis Collier durch sieben Tage Hölle hoch über der Erde begleitete.

DER GRÖSSTE GLÜCKSPILZ DER WELT

Dennis Collier ist ausgebildeter Pilot und erstand im Herbst 2021 für 110 000 Dollar ein kleines Amphibienflugzeug, eine Seawind 3000. Die Maschine war von einem 88-jährigen pensionierten Piloten namens Lynn Swann angefertigt worden, und obwohl sie seit zwei Jahren nicht mehr in Betrieb war, schien sie in gutem Zustand zu sein. Insgesamt hatte sie nur etwa 20 Flugstunden auf dem Buckel, und es waren hier und da kleinere Reparaturen fällig, aber nichts Großes. Collier wollte mit seinem neuen Flugzeug von Los Angeles nach Boyne City, Michigan, fliegen, was ihn eigentlich etwa sieben Stunden hätte kosten sollen. Doch die Reise zog sich etwas in die Länge …

Erster Flug: Collier macht mit seiner neuen Maschine einen Testflug, während Swann ein paar Ersatzteile kaufen geht. Als er landen will, fahren jedoch die Reifen (das Fahrgestell) nicht aus, und er kracht auf die Landebahn. Dies bestätigen Aufzeichnungen der Federal Aviation Administration (FAA). Wie durch ein Wunder bleibt Collier unversehrt. Swann sagt zu ihm, er habe wirklich Glück gehabt, es hätte viel schlimmer ausgehen können. Zum Glück hatte Swann einen Holzblock unter der Flugzeugnase angebracht, wodurch der Sturz wohl abgefedert wurde.

Zweiter Flug: Nach der Bruchlandung bringt Collier das Flugzeug rasch wieder auf Vordermann und entscheidet sich gleich für den nächsten Testflug, diesmal geht es nach New Mexico. Als er um 3.20 Uhr morgens dort landen will, versagt plötzlich der Motor in der Luft, und das Flugzeug kracht daraufhin in ein Warnlicht und ein Schild neben der Landebahn. Das Flugzeug ist dieses Mal völlig ramponiert, aber aus irgendeinem Grund bleibt Collier heil. Die FAA wird sofort vom örtlichen Flughafenpersonal über den Unfall in Kenntnis gesetzt.

Dritter Flug: Collier repariert die Maschine und fliegt von New Mexico aus weiter. Abermals kommt es zu einer Bruchlandung. Diesmal muss er der FAA eine Erklärung liefern. Doch aus unerfindlichen Gründen wird ihm danach gestattet, weiterzufliegen. Collier parkt sein Wasserflugzeug in einem leeren Hangar und repariert es allein.

Vierter Flug: Nach den Reparaturarbeiten macht sich Collier auf den Weg nach Chicago. Nach ein paar Stunden kommt es zu Komplikationen am linken Flügel, woraufhin sich das Flugzeug gefährlich neigt. Collier verliert die Kontrolle und versucht vier Mal, zu landen. Der letzte Versuch gelingt, doch die Landung ist ausgesprochen holprig, und das Flugzeug rutscht kurzzeitig über eine Wiese, bevor Collier es wieder auf die Landebahn lenkt. Er befindet sich nun auf einem Flughafen in Nebraska, wo er ganz bestimmt nicht hinwollte. Die Bruchlandung hat ihm einen ziemlichen Schrecken eingejagt, und er wendet sich zitternd an die Flughafenbetreiber, ein Ehepaar, das ihn beruhigen kann und über Nacht bei sich aufnimmt. Sie raten ihm jedoch davon ab, je wieder in dieses Flugzeug zu steigen.

Fünfter Flug: Am nächsten Tag will Collier wieder abheben. Inzwischen ist das Flugzeug eine ziemliche Klapperkiste, aber er ist überzeugt, dass seine Reparaturen halten werden. Er möchte bloß einen kurzen Testflug machen, und sich vergewissern, dass die Maschine bereit für die Strecke nach Michigan ist. Wieder stürzt er ab.

Sechster Flug: Collier entdeckt das vermeintliche Problem, ein paar vertauschte Kabel, repariert es und fliegt los in Richtung Michigan. Zunächst läuft alles glatt, und er gleitet über den Mississippi, als plötzlich, nur fünf Stunden nach Abflug, ein lautes Knacken ertönt. Collier kontaktiert den nächstgelegenen Flughafen, der etwa fünf Meilen entfernt ist und sich bereits in Sichtweite befindet. Jemand muss ihn beim Anflug beobachten und ihm mitteilen, ob sein Vorderrad ausgeklappt ist. Niemand antwortet. Und sein Vorderrad ist nicht ausgeklappt. Auf dem Boden stützt Collier das Flugzeug so lange wie möglich auf die Hinterräder, bevor die Flugzeugnase auf die Rollbahn kracht, die Maschine Hunderte Meter lang über den Asphalt rutscht und schließlich zum Stehen kommt.

Siebter Flug: Die Leute sind in Sorge, denn trotz aller Unfälle und Komplikationen hat Collier vor, ein letztes Mal mit der Seawind abzuheben – nach Boyne City, das nun nur noch einen 25-minütigen Flug entfernt ist. Die FAA befürchtet berechtigterweise, dass Colliers Fahrwerk abermals ausfallen könnte und es zu einer weiteren Bruchlandung kommen würde. Um sie zu beschwichtigen, verspricht Collier, die Räder dieses Mal den gesamten Flug über ausgefahren zu lassen. Er startet, und der Flug läuft gut, bis ihm plötzlich Rauch in die Nase steigt. Der Motor stottert, und Collier beschließt, umzudrehen und auf einem anderen Flughafen in der Nähe notzulanden. Doch einer der Flügel spielt verrückt, und Collier entscheidet, stattdessen eine Notwasserung auf dem Lake Michigan einzuleiten. Zum Glück ist seine Maschine als Amphibienflugzeug darauf ausgerichtet, auf dem Wasser zu landen.

»Ich schaute auf den See und merkte, dass ich die Flughöhe anhand des Glitzerns der Sonne auf dem Wasser bestimmen konnte«, erzählte Collier später. »Die Zeit stand still, und ich war wie hypnotisiert von der Schönheit der Sonne über dem Wasser ... ich sah sie vor mir, sie war ganz nah.«[*]

Leider vergisst er in diesem Moment, dass sein Fahrwerk noch ausgeklappt ist. Als er wassern möchte, kommt es zu einem gewaltigen Aufprall, und seine Maschine kentert. Das Amphibienflugzeug, das eigentlich auf dem Wasser treiben sollte, sinkt auf den Grund des Sees.

Seitdem hat Dennis Collier das Fliegen aufgegeben. Auf die Frage des Journalisten Francis X. Donnelly, was er als Nächstes vorhabe, verriet er, dass er inzwischen bei Disney angestellt sei und Vergnügungspark-Besucher auf einem Boot herumkutschiere. Da hat ihn wohl tatsächlich wieder jemand ans Ruder gelassen.

---

[*] Mardi Link: *Seawind Saga: Pilot Who Crashed in Lake Michigan Had 7 Crashes in 7 days*

KAPITEL 12

DAS GEHEIMNIS DER WELTHERRSCHAFT

DIE THEORIE DER UNGENIESSBARKEIT

Vor zwei Millionen Jahren waren wir unspektakuläre Affen. Von all den horizonterweiternden Fakten in Yuval Noah Hararis Buch *Eine kurze Geschichte der Menschheit* hat dieser mich am meisten beeindruckt. Wir sind nichts Besonderes. Nichts wies darauf hin, dass wir zur dominanten Spezies dieses Planeten aufsteigen würden. Wir hatten keine Waffen, um uns zu verteidigen, wir konnten noch kein Feuer machen, und wir verfügten nicht einmal über besondere kognitive Fähigkeiten, um unsere Fressfeinde zu überlisten. Wie haben wir es also geschafft? Wie konnten wir in einer Umgebung voller menschenfressender Wesen überleben? Dem verstorbenen Paläoanthropologen Louis Leakey zufolge lag es daran, dass wir zu sehr stanken, als dass uns irgendjemand hätte fressen wollen.

»Ich glaube fest daran«, erklärte Leakey auf einer Konferenz mit den führenden Wissenschaftlern seines Feldes, »dass Urmenschen, so wie viele frühe Primaten, in den schutzlosen Tagen, als diese noch auf dem Boden lebten und keinerlei Werkzeug oder Waffen besaßen, unter anderem dadurch geschützt waren, dass sie für Fleischfresser ungenießbar waren.«

Leakey präsentierte seine Theorie 1965 auf einer internationalen Konferenz, die unter anderem vom Brain Research Institute der UCLA gesponsert worden war. Auf die Idee war er gekommen, als er zusammen mit einem Kollegen nach einer Autopanne gezwungen gewesen war, in den weiten Steppen der Serengeti zu übernachten. Gerade hatten sich die beiden Männer zum Schlafen auf den Boden gelegt, als fünf ausgewachsene Löwen auftauchten, an ihren Köpfen schnüffelten und dann angewidert weiterzogen. Was hatten die Tiere gerochen und für schlecht befunden? Nachdem er seinen Studenten von diesem Erlebnis berichtet hatte, stellte sich heraus, dass anderen Leuten vor ihm Ähnliches widerfahren war: »1931 gab es bei meinem ersten Camp in der Olduvai-Schlucht zwei Studenten, die nachts in ihrem Zelt lagen, als ein Löwe hereinkam, sie beschnüffelte und dann wieder von dannen zog. Das Tier war hungrig gewesen, keine Frage, hatte die beiden aber nicht angerührt. Sie waren ihm als Fressen nicht gut genug gewesen.«

Leakey und sein Team lasen daraufhin zahlreiche Berichte über Todesfälle im Zusammenhang mit menschenfressenden Tieren und folgerten daraus: Selbst wenn Menschen von wilden Tieren getötet worden waren, hatten diese sie nicht gleich gefressen. Hyänen zum Beispiel, so erklärte Leakey, können unseren Geruch nicht ausstehen und warten auf die rund 40 Stunden nach dem Tod einsetzende Verwesung, bevor sie unseren Kadaver überhaupt anrühren. So schrecklich ist unser natürlicher Geruch für Raubtiere also – sie müssen warten, bis sich die Maden ans Werk machen.

Die Fälle, bei denen ein Löwe oder ein Leopard einen Menschen direkt nach der Tötung verzehrt hatte, so schilderte Leakey, schienen auf die Verzweiflung der Raubtiere zurückzuführen zu sein: Entweder war das Tier krank oder verletzt oder der Mensch hatte für Nahrungsknappheit im Jagdgebiet dieses Tieres gesorgt. Leakeys Team weitete seine Nachforschungen aus und sah sich andere Primaten an. Auch diese wurden nur selten gefressen (mit Ausnahme der Geschwänzten Altweltaffen oder auch *Cercopithecoidea*, unter denen der Mandrill besonders bei Leoparden beliebt ist, was Leakey allerdings nicht erklären konnte).

Seinen Vortrag an der UCLA schloss Leakey mit folgenden Worten:

»Ob die natürliche Immunität des Menschen gegenüber großen Karnivoren allein im Geruch begründet liegt – denn ohne Frage beschnüffeln sie uns – oder eher in einer Kombination aus Geruch und der Erinnerung an den Geschmack menschlichen Fleisches, kann ich nicht sagen. Ich bin allerdings fest überzeugt, dass die zentrale Verteidigungsstrategie der frühen Stadien der Vormenschen ... und später des Urmenschen ... in seiner Ungenießbarkeit für Fleischfresser bestand.«

Die These wurde von vielen seiner Kollegen scharf kritisiert und taucht nur selten in der wissenschaftlichen Literatur auf, obgleich es viele Artikel gibt, die nahelegen, dass Tiere im Allgemeinen angewidert von uns sind. Kakerlaken zum Beispiel wurden dabei beobachtet, wie sie sich nach dem Kontakt mit

Menschen säubern. Der Wissenschaftlerin Diane Ackerman zufolge finden auch Fledermäuse uns ziemlich eklig. In ihrem Buch *Die schöne Macht der Sinne. Eine Kulturgeschichte* beschreibt sie, wie sie sich einen großen indonesischen Flughund, eine Fledermausart, auf ihr Haar setzt, um zu sehen, ob er sich darin verfängt. Das Tier beginnt sofort zu husten, und als es wieder in seinem Käfig sitzt, verbringt es eine ganze Weile damit, sich den menschlichen Gestank vom Körper zu lecken.

Insgesamt konnte Leakeys Theorie der Ungenießbarkeit jedoch nicht überzeugen: »Diese Theorie klingt erst einmal sehr originell, aber aus ökologischer Sicht ist es unvorstellbar, dass eine frei verfügbare und leicht erlegbare Fleischquelle 10 bis 20 Millionen Jahre lang einfach unangetastet bleibt«, bemerkte der holländische Ethologe Prof. Adriaan Kortlandt in dem Artikel *How might early hominids have defended themselves against large predators and food competitors?* [Wie könnten sich frühe Hominide gegen große Raubtiere und Nahrungskonkurrenten verteidigt haben?]. Kortlandt nimmt an, es hätte weniger mit unserer Ungenießbarkeit zu tun als mit unserer Fähigkeit, Raubtiere mit Ästen und Zweigen dornentragender Pflanzen zu vertreiben. Löwen sollen wohl panische Angst vor diesen Pflanzen haben.*

---

* Kortlandt überprüfte seine Theorie, indem er Dornenzweige an einem »elektrisch betriebenen Rotor mit vier Blättern« befestigte und diesen über einer Portion Fleisch positionierte. Näherten sich die hungrigen Löwen dem Fleisch, setzte er den Rotor in Gang und konnte beobachten, dass die Tiere sofort die Flucht ergriffen.

DIE LEAKEYS

Die Leakey-Familie hat jede Menge seriöse Wissenschaftler, Archäologen und Soldaten hervorgebracht, ein paar ihrer Mitglieder waren allerdings auch ein wenig durchgeknallt. Insbesondere Louis Leakey vertrat eine Vielzahl abwegiger Theorien. Zum Ärger seiner Zeitgenossen konnte er aber auch genauso viele bedeutsame Entdeckungen vorweisen und galt als Vertreter eines progressiven Wissenschaftsverständnisses.

Louis Leakey betrat Neuland bei der Erforschung unserer nächsten Verwandten, der Menschenaffen. Seiner Meinung

Mary Leaky mit den Fußspuren, die sie und ihre Teamkollegen in Laetoli entdeckten, als sie sich mit Elefantenkot bewarfen.

nach waren allerdings nur alleinstehende Frauen ohne wissenschaftliche Ausbildung imstande, die dafür nötigen Untersuchungen durchzuführen. Im Nachhinein können wir uns glücklich schätzen, dass er diesen eigenartigen Ansatz durchsetzen konnte, denn die drei von ihm auserwählten Frauen waren keine geringeren als Dian Fossey, Jane Goodall und Biruté Galdikas – die »Trimaten«, wie er sie nannte, oder »Leakeys Engel«, wie andere sie nannten. Alle drei hatten vollstes Vertrauen in Leakey. So sehr sogar, dass Dian Fossey auf einen Brief hin, in dem Leakey ihr erklärte, sie müsse sich vor ihrer Forschungsreise nach Ruanda den Blinddarm entfernen lassen, sofort Folge leistete – nur um kurz darauf in einem zweiten Brief zu erfahren, dass er bloß einen Scherz gemacht hatte.

Niemand entdeckte mehr Hominidenfossilien als Louis Leakey – abgesehen von zwei Personen: Richard Leakey, sein Sohn, hatte von Kindesbeinen an mit seiner Familie nach Fossilien gegraben, wurde später selbst ein gefeierter Paläoanthropologe und hält bisher den Rekord für die meisten Funde. Und Mary Leakey, die Ehefrau von Louis Leakey, deren Funde er sich größtenteils selbst zuschrieb.

Zu den Entdeckungen von Louis, Mary und ihren Assistenten gehörte auch der versteinerte Zahn einer urmenschlichen Art namens *Homo habilis*. Dieser Fund war äußerst bedeutsam, da er belegte, dass der Mensch sich nicht in Asien (wie seinerzeit angenommen), sondern in Afrika herausgebildet hatte. Dadurch verschob sich das Datum, an dem die Ursprünge unserer Spezies vermutet wurden, um satte eine Million Jahre nach hinten. Die Leakeys entdeckten auch den ersten fossilisierten und nahezu intakten Schädel des *Proconsul* *africanus*, einer 8 Millionen Jahre alten Spezies der sogenannten Menschenartigen (Hominoidea).*

Die größte Entdeckung der Leakeys war jedoch der 1,75 Millionen Jahre alte Schädel aus der Olduvai-Schlucht in Tansania, das vermeintliche Verbindungsstück zwischen dem »südafrikanischen Menschenaffen« (Australopithecus und Paranthropus) und dem »Menschen, wie wir ihn heute kennen«. Die wissenschaftliche Konkurrenz war erstaunt über die unfassbare Frequenz neuer und wichtiger Fossilienfunde der Leakeys und ihrer »Hominidengang«. Bald etablierte sich der Begriff »Leaky Luck«. Die Wahrheit ist jedoch, dass es mit Glück nichts zu tun hatte. Die Leakeys hatten ein äußerst kompetentes Team und waren proaktiv, produktiv und immer auf Zack. Sie waren ihres Glückes Schmiede.

LEAKEY LUCK

Mary Leakey, die nach dem Tod ihres Ehemanns Louis weiter bedeutende Entdeckungen machte, sprach dann irgendwann doch von der Bedeutung des Glücks bei der Arbeit. Damit meinte sie einen der bisher wichtigsten anthropologischen Funde im tansanischen Laetoli: die Entdeckung der ältesten Fußabdrücke aufrecht gehender Menschen. Gefunden hatten sie und ihr Team die Spuren, weil sie sich zum Spaß mit Elefantenkot bewarfen und dabei manchmal hinfielen. Einer der

---

* Der Schädel erregte so viel Aufmerksamkeit, dass er bei seiner Ankunft in England von Fotografen und TV-Nachrichtenteams empfangen wurde. Zu seinem Schutz rückten zwei Polizeibeamte in Zivil an, die angewiesen wurden, ihn nicht aus den Augen zu lassen.

Forscher landete auf einer harten Oberfläche, die mit uralten Fußspuren, unter anderem von Nashörnern, übersät war.

Der Fund entpuppte sich als bahnbrechende Entdeckung. Insgesamt waren es mehr als 18 400 Fußabdrücke.

Nach zwei Jahren Forschungsarbeit vor Ort entdeckte Mary Leakey einen Fußabdruck, der zu einem Hominiden zu gehören schien. Später hielt sie fest: »Die Entdeckung dieser Spuren war eine unglaublich fesselnde Angelegenheit … es war klar, dass wir den eindeutigen und unumstößlichen Beweis dafür gefunden hatten, dass unsere Vorfahren vor etwas mehr als 3,5 Millionen Jahren bereits aufrecht gehen konnten.«[*] Jahrzehntelang hatten sich Anthropologen über diesen Aspekt der menschlichen Entwicklung gestritten und dabei wenig Hoffnung gehabt, ihre verschiedenen Ansichten jemals beweisen oder widerlegen zu können.

WIE UNSERE SPEZIES WIEDER GENIESSBAR WURDE

Louis Leakey war nicht das einzige Familienmitglied, das sich für menschliche Gerüche interessierte. Einer seiner Söhne, der Botaniker Colin Leakey, machte dieses Thema zu seiner Lebensaufgabe, wenn auch aus völlig anderen Gründen als sein Vater. Colin Leakey versuchte jahrzehntelang, eine neue Bohnenart zu züchten, die weniger blähend sein sollte. Auslöser für seine Bemühungen waren die Versuche der NASA, Astronauten mit Baked Beans zu versorgen, ohne ihre Raumkapseln mit abscheulichem Gestank zu verpesten. Irgendwann kam die NASA zu dem Schluss, dass Bohnen sich wohl nie

---

[*] Mary Leaky: *Disclosing the Past*, Double Day and Co., 1984, S.177

als Astronautennahrung eignen würden, aber zu diesem Zeitpunkt war Colin Leakey bereits angefixt von der Idee, Bohnen zu züchten, die weniger blähend wirkten und leichter verdaulich wären. Unter anderem ging es ihm dabei um Menschen, die an Morbus Crohn und ähnlichen Krankheiten litten und dank der neuartigen Bohnen ihre Zufuhr von Pflanzenproteinen steigern könnten. Er glaubte auch daran, dass eine furzbefreite Bohne dabei helfen könnte, den weltweiten Fleischkonsum zu senken.

Eine seiner Erfindungen in diesem Zusammenhang, den »Flatometer«, ließ sich Leakey sogar patentieren. Dabei handelt es sich um eine Apparatur, deren Endstück man sich ins Rektum einführen musste, damit die entweichenden Gase über einen Schlauch in einen Ballon geleitet werden konnten, der dann, Leakeys Empfehlung zufolge, am besten in der Brusttasche des Hemdes verstaut wurde.

Trotz des nicht enden wollenden Spotts widmete Leakey viele Jahre seines Lebens der Bohnenzucht und schaffte es schließlich, zahlreiche neue Bohnensorten zu entwickeln, darunter »Leakey's Stop Beans«, die in Großbritannien über den Bohnenfachhändler Hodmedod's bezogen werden können, sowie die Sorten »Prim« und »Proper«, die ein leicht verdauliches Grundnahrungsmittel für viele ältere Bürger, Kinder und Schwangere in armutsbetroffenen Regionen der Erde darstellen. »Meiner Familie war die Sache peinlich, und irgendwann eilte mir ein gewisser Ruf voraus«, erzählte er dem *Guardian*. »Aber ich glaube, jetzt lachen die Leute nicht mehr.« Und wahrscheinlich sind wir Menschen dank Colin Leakeys Züchtungen nun auch ein wenig genießbarer für streunende Raubtiere geworden.

KAPITEL 13

EIN KREATIONIST AUF DEM MOND

DIE THEORIE DER APOLLO-MISSIONEN

Wussten Sie, dass Neil Armstrongs erster Schritt auf dem Mond nicht einmal sein liebster war? Man würde meinen, es stünde außer Frage, welchen Platz der Schritt in seinen »Top 10 der aufregendsten Schritte« belegt. Doch den ersten Platz bekam er nicht. Diesen besetzte laut Thomas Friedmans Buch *Von Beirut nach Jerusalem: Erfahrungen im Nahen Osten* ein Schritt, den Armstrong in Jerusalem machte, und zwar nach seiner Mond-Mission. Gemeinsam mit dem israelischen Archäologen Meir Ben-Dov spazierte er durch die Heilige Stadt, und bei den Hulda-Toren angekommen, fragte Armstrong seinen Begleiter, ob auch Jesus einst vor diesen Toren gestanden habe. »Nun, Jesus war ein Jude«, erwiderte Ben-Dov. Als Jude habe Jesus sicher unzählige Male die Treppe erklommen, auf der

Armstrong gerade stehe. Diese existiere immerhin schon seit Tausenden Jahren und führe zum Tempelberg, wo sich Jesus' Gebetsstätte befinde.

»Ich muß gestehen«, entgegnete Armstrong, »ich finde es viel aufregender, diese Steine zu betreten als den Mond.«

Als ich diesen Satz las, war ich zunächst ein wenig schockiert. Mir war bis dahin nicht bewusst gewesen, wie religiös der erste Mann auf dem Mond gewesen war. Aber wie sich herausstellte, waren eine Menge Apollo-Astronauten mindestens genauso gläubig.

Und selbst wenn sie es vor ihrer Mond-Mission nicht gewesen waren, ist es gut möglich, dass sie durch die Weltraumreise zum Glauben fanden. Viele Menschen erwarteten, dass Alan Shepard, dem ersten Amerikaner, der in die Erdumlaufbahn geschickt wurde, beim Anblick der Erde aus dem All eine tiefe, göttliche Offenbarung widerfahren werde. Übernatürliche Erscheinungen, oder überhaupt irgendwelche Erscheinungen zu erleben, war allerdings alles andere als leicht für Shepard, da die NASA kein Fenster in sein Raumschiff eingebaut hatte – es gab nur ein Periskop. Und eine göttliche Eingebung durch ein schmales Sehrohr zu empfangen, stelle ich mir als ziemliche Herausforderung vor. Obendrein hatte Shepard es versäumt, eine Linse auf dem Periskop zu entfernen, sodass er die Erde wie durch einen schwarz-weißen Instagram-Filter sah. Berichten zufolge hat Shepard noch kurz vor dem Raketenstart gebetet. Sein Stoßgebet ist heute bekannt als »Shepard's Prayer« und lautet: »Bitte, lieber Gott, lass mich das jetzt nicht verbocken.«

Buzz Aldrin, der zweite Mann, der je die Mondoberfläche betreten hat, war so gläubig, dass er praktisch sofort nach seiner und Armstrongs erfolgreicher Landung die erste Kommunion auf dem Mond empfing. »Bevor wir in der Mondfähre unseren Proviant aßen, hatte ich einen kurzen Moment für mich«, heißt es in seiner Autobiografie *Return to Earth* [Rückkehr zur Erde].

> *»Sofort griff ich nach den beiden Schachteln, die ich für mein Personal Preference Kit angefragt hatte. In einer befand sich etwas Wein, in der anderen eine kleine Oblate. Mit einem Kelch, ebenfalls Teil meiner persönlichen Gegenstände, empfing ich so das erste Abendmahl auf dem Mond. Wie bei einer Kommunion üblich, las ich dabei einen Teil des Johannesevangeliums, den ich auf eine Karteikarte geschrieben hatte und stets bei mir trug.«*

Als ich Buzz einige Jahre später traf, verriet er mir, dass er sich erst kurz vor dem Start zur Kommunion entschlossen habe.

Sein katholischer Priester und er hätten spontan keinen Rotwein auftreiben können, sodass am Ende ein vollmundiger Weißer für das Blut Christi herhalten musste. Sein Kollege Armstrong beteiligte sich übrigens, obwohl er ebenfalls Christ war, nicht an der Zeremonie und machte sich stattdessen über sein Schinkensandwich her.

DIE THEORIEN DES ERSTEN SCHRITTES

Auch abgesehen von den religiösen Gesichtspunkten kann ich verstehen, warum Armstrongs erste Schritte auf dem Mond nicht gerade die tollsten waren. Zuerst einmal, weil vorher niemand so recht gewusst hatte, was eigentlich passieren würde, wenn er seinen linken Fuß auf den Mondboden setzte. Einer Theorie zufolge hätten seine Füße in Flammen aufgehen können, oder wie Buzz es beschrieb:»Ein Wissenschaftler stellte damals die These auf, dass aufgrund der Sonneneinstrahlung und der gleichzeitigen Kälte in der Exosphäre ein derartiges chemisches Ungleichgewicht auf dem Mondboden herrsche, dass die Schritte eines Menschen ein gigantisches Feuer entfachen könnten.«

Eine andere besorgniserregende These war, dass die dicke Staubschicht des Mondes Armstrong augenblicklich verschlingen werde. Die Vorstellung ging Armstrong wohl nicht aus dem Kopf, da er, als er auf der Leiter des Landefahrzeugs stand, kurz auf der Stelle hüpfte, um zu prüfen, ob sie im Staub versank. Das tat sie nicht. Aber es war trotzdem ein ziemlich gewagter Test, oder etwa nicht? Wenn das Fahrzeug umgekippt wäre, hätte Armstrong seinen Kollegen mit ins Verderben gerissen. Wäre er allein im Mondstaub verschwunden, hätte Buzz wenigstens versuchen können, ihn dort rauszuholen.

Als Armstrong schließlich mit beiden Beinen auf dem Mond stand, erwiesen sich die Sorgen als unbegründet: Er ging weder in Flammen auf, noch wurde er vom Mondboden verschluckt. Buzz war so erleichtert vom Ausgang des »Experiments«, dass er sich, nun ja, erleichterte. Auf dem Mondboden angekommen, atmete er tief durch und pinkelte vor den Augen von Millionen von Fernsehzuschauern. »Neil war vielleicht der erste Mann auf dem Mond«, schrieb er, »aber ich war der Erste, der sich auf dem Mond in die Hose pinkelte.«* Damit hat er es sogar ins Guinness-Buch der Rekorde geschafft.

Ein weiterer Grund für Armstrongs zwiespältige Gefühle seinen ersten Schritten auf dem Mond gegenüber waren die vielen Kabel, die er und Aldrin zur Videodokumentation des historischen Moments bei sich hatten. »Wir hätten nie damit gerechnet, dass uns ausgerechnet das Fernsehkabel so viel Ärger bereitet«, erzählte Armstrong später.

»Ständig habe ich mich darin verheddert. Es war weiß und eigentlich recht auffällig. Aber irgendwann war es von einer dicken Staubschicht bedeckt und verschmolz praktisch mit dem schwarzen Mondboden, sodass ich andauernd daran hängen blieb.«

Die NASA konnte die beiden Astronauten nicht einmal anweisen, wie man am besten über den Mond ging. Auch dazu gab es viele Theorien: Der NASA-Mitarbeiter Walter Kühnegger (auch bekannt als »Professor Moon«) machte sich zur Aufgabe, es herauszufinden, und stellte einen fünfbändigen

---

* Interessanterweise kam auch Edmund Hillary nach seiner Besteigung des Mount Everest als Erstes auf die Idee, zu pinkeln. Man könnte meinen, die Männer wollten ihr Revier markieren.

Bericht dazu für die NASA zusammen. Sein Fazit lautete: Um sich maximal effizient auf dem Mond fortzubewegen, müsse man hüpfen wie ein Känguru. »Ein känguruartiger Sprung erfordert am wenigsten Energie und verbraucht am wenigsten Sauerstoff«, sagte er in einem Interview mit dem *Smithsonian Magazine*. Leider wurde sein Vorschlag nicht umgesetzt.

DIE THEORIE DER ERSTEN WORTE

Nicht zuletzt hat wohl auch der enorme Druck, seine ersten Schritte auf dem Mond mit unvergesslichen Worten zu untermalen, Armstrong die Erfahrung vermiest. Es gibt viele Theorien dazu, wie Armstrong auf seinen berühmten Satz »Das ist ein kleiner Schritt für einen Menschen, aber ein großer Sprung für die Menschheit« gekommen war.

Manche vermuten, der Satz stamme von der PR-Abteilung der NASA, andere wiederum glauben, er komme direkt aus dem Präsidentenbüro. Meine Lieblingstheorie ist, dass Armstrong sich von J. R. R. Tolkiens *Der Hobbit* hat inspirieren lassen. Armstrong war nämlich ein absoluter Tolkien-Fan. Nur zwei Jahre nach der Mondlandung kaufte er einen Bauernhof in Lebanon, Ohio, und benannte ihn um in Rivendell (auf Deutsch bekannt als Bruchtal), eine Elbenstadt in Mittelerde und das Zuhause des Halbelben Elrond. Selbst Armstrongs E-Mail-Adresse habe laut seines Biografen eine Anspielung auf *Der Herr der Ringe* enthalten. Im *Hobbit* gibt es eine Stelle, in der Bilbo Beutlin sich unsichtbar macht, um über Gollum zu springen und so an ihm vorbeizukommen. Dort heißt es: »Für einen Menschen wäre es kein großer Sprung gewesen, aber es war ein Sprung ins Dunkle.« Könnte das die Inspiration für Armstrongs legendären Spruch gewesen sein? Leider sieht es nicht danach aus. Auf Hansens Frage hin, ob an der Theorie etwas dran sei, antwortete Armstrong, er habe die Tolkien-Romane erst nach der Mond-Mission gelesen.

DIE THEORIE DER ZWEITEN WORTE

Viele Jahre lang kursierte eine Geschichte, der zufolge Armstrongs Spruch vom kleinen Schritt und großen Sprung mit den Worten »Good Luck, Mr. Gorsky« [Viel Glück, Herr Gorsky] weitergegangen sei. Die Geschichte hielt sich so lange, dass sie sogar ihren Weg in die Popkultur fand und in der Eröffnungsszene des Films *Watchmen – Die Wächter* aufgegriffen wurde. Armstrong soll als Kind mit seinem Bruder im Garten Baseball gespielt und den Ball dabei versehentlich vor dem Schlafzimmer der Nachbarn, den Gorskys, versenkt haben. Als Armstrong sich zu ihnen in den Garten schlich, um den Ball zu holen, habe er aufgeschnappt, wie Mrs. Gorsky sagte: »Oralsex? Du willst Oralsex? Du kriegst Oralsex, wenn der Nachbarsjunge über den Mond spaziert!«

Die Geschichte ist natürlich frei erfunden. Trotzdem hat sie mich zum Nachdenken gebracht. Wann hatte jemand das letzte Mal einen Spruch à la »Eher noch schießen sie einen Mann auf den Mond!« von sich gegeben? Wie kurz vor der Mondlandung muss das wohl gewesen sein? In wie vielen Kulturen, wie viele Jahrtausende lang war die Erwähnung einer Mondlandung, gefolgt von einem Augenverdrehen, der ultimative Ausdruck von Skepsis? Planten antike Zivilisationen auch schon, ins All zu fliegen? Haben sich bereits die Sumerer und Babylonier in ihren Keilschriften sarkastisch darüber geäußert?*

Ähnliche Sprüche waren womöglich bereits im China des 16. Jahrhunderts in Verwendung, wo, wenn man so will, der erste Astronaut der Welt lebte: Wan Hu. Der Legende nach hatte Wan Hu versucht, mit einem Stuhl, an dem 47 Raketen befestigt waren, ins All zu fliegen. Geduldig wartete er auf seinem Stuhl auf den Start, und kaum waren alle Raketen angezündet, kam es zu einer riesigen Explosion. Wan Hu oder sein Stuhl wurden nie wieder gesehen.

Ob Wan Hu wirklich existiert hat, ist zwar umstritten, doch seine Geschichte lebt weiter. In Gedenken an ihn und seinen explodierenden Stuhl wurde eine Statue vor dem Kosmodrom Xichang errichtet, von dem aus die ersten Raumschiffe Chinas ins All starteten.

Vielleicht begannen die Mondlandungssprüche auch erst im 17. Jahrhundert, als mit Dr. John Wilkins, dem Schwager des englischen Parlamentariers Oliver Cromwell, zum ersten Mal ein Brite eine Weltraummission plante. Wilkins war ein geschätzter Prediger, Philosoph, Autor, Universalgelehrter und Mitbegründer der Royal Society. Darüber hinaus schrieb er zwei Bücher über den Mond und bestimmte dessen Entfernung zur Erde mit 99,9-prozentiger Genauigkeit, und zwar nur mit Trigonometrie. Dabei kam er auf die Idee, dem Mond einen Besuch abzustatten. Dazu entwarf er eine Art Welt-

---

* Laut Irvin Finkel, einem der Kuratoren des British Museum, gibt es keine Überlieferungen eines Interesses der Babylonier an Raumfahrt. »Allerdings«, erzählte Finkel mir, »hätten diese bereits Landkarten aus der Vogelperspektive besessen, und das, obwohl sie über keinerlei Flugobjekte verfügten ... Besonders verblüffend ist die Namenskennzeichnung auf der Rückseite der Schrifttafel mit der ersten Vogelschaukarte der Weltgeschichte. Der Name des Verfassers ist leider abgebrochen, aber der Name seines Vaters ist erhalten und bedeutet so viel wie ›Vöglein‹.«

raum-Wagen* mit einem Getriebe aus Zahnrädern, Federn und Schießpulver:

> *Ich halte es ernsthaft und aus gutem Grunde für möglich, einen Flugwagen herzustellen, der einen Mann durch die Luft befördern kann. Dazu muss sich dieser bloß hineinsetzen und den Anstoß geben. Man könnte sogar einen so großen Wagen anfertigen, dass darin Platz für mehrere Männer sowie deren Wegzehrung und Reiseausstattung wäre.*«

Leider ist nirgendwo belegt, ob Wilkins den Flugwagen je gebaut hat.

Vielleicht war der Spruch über die Mondlandung auch das letzte Mal im Jahr 1959 in Gebrauch, als er angeblich bei einem Gespräch über den neuen Baseballspieler der San Francisco Giants Gaylord Perry geäußert wurde, der ein gekonnter Pitcher, aber ein miserabler Schlagmann war. Sportjournalist Harry Jupiter zufolge soll der Giants-Manager Alvin Dark einmal gesagt haben, dass eher noch ein Mann auf dem Mond lande, als dass Perry einen Home Run schaffe.

Spätestens seit dem 20. Juli 1969, als Armstrong seine ersten Schritte auf dem Mond machte, ist die Redewendung endgültig passé. Eine Stunde später, bei einem Match gegen die Los

---

* Wilkins ging davon aus, dass etwa 20 Meilen über der Erdoberfläche die Schwerkraft abnähme. Dafür sprach seiner Meinung nach, dass Wolken in der Luft schwebten. Proviant hielt er für überflüssig, da dieser es in Ermangelung der Schwerkraft sowieso nicht von oben nach unten durch den Verdauungstrakt geschafft hätte.

Angeles Dodgers, erzielte Gaylord Perry seinen ersten Home Run.

Ich hätte nie gedacht, dass ich bei meiner Suche nach durchgeknalltem Gedankengut ausgerechnet bei den Apollo-Missionen fündig würde. Um Astronaut zu werden, muss man mit »den richtigen Dingen«, wie Schriftsteller Tom Wolfe sie nannte, ausgestattet sein: rationales Denken und die Fähigkeit, eine Abfolge von Prozeduren akribisch genau auszuführen, ohne groß zu improvisieren. Solche Missionen waren also bestimmt kein Ort für fadenscheinige Theorien, übernatürliche Erscheinungen, Aberglauben oder paranormale Erfahrungen.

TELEPATHIE AUF DEM MOND

Die Apollo-Missionen waren strikt durchgetaktet. Unzählige Mitarbeiter überprüften jede Schraube und jedes kleinste technische Detail doppelt und dreifach. Schon immer hat es mich verblüfft, wie es trotzdem so einfach sein konnte, Gegenstände an Bord zu schmuggeln. Viele Apollo-Astronauten nahmen die absurdesten Gegenstände mit auf den Mond, ohne dass die NASA auch nur die leiseste Ahnung davon hatte. Alan Shepard brachte heimlich eine Art Golfschläger samt Golfball an Bord und erzielte damit rein theoretisch den längsten Golfschlag der Menschheitsgeschichte.

Manchmal bekamen die Astronauten selbst nicht einmal mit, welche Dinge es unbemerkt ins Raumschiff geschafft hatten. Als Alan Bean und Pete Conrad von der Apollo 12 auf dem Mond waren, schlugen sie eine am Handgelenk befestigte Checkliste mit allen Aufgaben auf, die sie auf ihrer Mission zu erledigen hatten. Die Liste war in ein etwa 10 x 10 Zentimeter kleines, laminiertes Büchlein gedruckt. Beim Blättern entdeckten Bean und Conrad ein paar Extraseiten, auf denen Playmates aus dem *Playboy* abgebildet waren. Wer hatte sich diesen Scherz erlaubt? Es war David Scott, der später der siebte Mann auf dem Mond sein würde. Sicherheitsrisiken, alle miteinander.

Als Edgar Mitchell Karten mit rätselhaften Symbolen ins Raumschiff schmuggelte, war es daher gut möglich, dass niemand in der Crew mit der Wimper zuckte. Hätten sie aber gewusst, wozu die Karten gedacht waren, wären sie vermutlich etwas besorgter gewesen.

*

Wir befinden uns auf den Bahamas, im Januar 1971. Drei Typen, alle heißen Ed, diskutieren eine Frage: Wie weit reicht die Kraft der Telepathie? Wäre es theoretisch möglich, eine Botschaft, sagen wir mal, vom Mond bis zur Erde zu schicken? Eine spannende Vorstellung. Zum Glück stand einem der Eds in ein paar Tagen eine Reise zum Mond bevor, also beschloss er, das Ganze auszuprobieren. Bei einer Entfernung von ungefähr 200 000 Meilen bis zur Erde wäre das die längste Strecke, über die je eine telepathische Kontaktaufnahme erfolgte. Genau die richtige Aufgabe für den Astronauten Edgar Mitchell, der kurz davor war, als sechster Mann auf dem Mond Geschichte zu schreiben.

Die drei Eds (die anderen beiden waren Mitchells Mediziner-Freunde Edward Boyle und Edward Maxey) hatten folgenden Plan: Mitchell sollte ein Deck selbst gemachter Zener-Karten an Bord schmuggeln, auf denen ein Quadrat, ein Stern, ein Kreis, ein Kreuz und eine Wellenlinie abgebildet wären.*

Mitchell sollte sich auf ein Symbol und eine beliebige Zahl konzentrieren, während die anderen beiden Eds auf der Erde versuchten, sich seine Bild-Zahlen-Kombination vorzustellen. Mitchell führte das Experiment gleich zwei Mal durch – einmal auf dem Weg zum Mond und einmal auf dem Rückweg, nie aber direkt auf dem Mond. Bei beiden Durchläufen nahm Mitchell die Zener-Symbole sowie Karten mit beliebigen Zahlen zur Hand, legte sie in Paaren nebeneinander und konzentrierte sich jeweils 15 Sekunden lang auf jedes Paar. Als er zurück auf der Erde war, schauten sich die drei Eds die Ergebnisse an und stellten fest, dass das Experiment in weniger als 10 Prozent der Fälle funktioniert hatte. Mitchell hielt diesen Wert für »statistisch signifikant«.

Später stellte sich allerdings heraus, dass es aufgrund eines verspäteten Raketenstarts zu einem zeitlichen Verzug von 45 Minuten gekommen war und die beiden Eds auf der Erde die telepathischen Botschaften notiert hatten, bevor Edgar Mitchell sie überhaupt versandt hatte.

---

* Zener-Karten wurden in den 1930er-Jahren von Karl Zener entwickelt, der sie dem Parapsychologen J. B. Rhine für dessen Experimente zur Verfügung stellte. Der gelernte Botaniker Rhine widmete sich der Welt des Übersinnlichen, nachdem er sich einen Vortrag von Arthur Conan Doyle angehört hatte. Doyle präsentierte bei dem Vortrag angebliche Beweise für eine Kontaktaufnahme mit dem Jenseits. Rhine war sofort gefesselt von der Vorstellung, dass es Medien gab, die mit dem Reich der Toten kommunizieren konnten. Leider musste er bald feststellen, dass sich auf diesem Gebiet eine Menge Schwindler und Betrüger herumtrieben. Eine Betrügerin entlarvte er sogar: Mina Crandon, die, wie er herausfand, die Anwesenheit von Geistern vortäuschte, indem sie heimlich gegen ein Megafon trat und so ein dumpfes Geräusch erzeugte. Sein Angriff auf Crandon kam in der Szene allerdings nicht gut an. In einem Artikel einer Bostoner Zeitung nannte Conan Doyle ihn einen »gigantischen Hohlkopf«.

EIN KREATIONIST AUF DEM MOND

Die Apollo 15 startete am 26. Juli 1971 und war die erste Mission der NASA mit größerem wissenschaftlichem Vorhaben. Man würde meinen, die NASA hätte daher besonders darauf geachtet, durch und durch wissenschaftsorientierte Männer für die Mission zu gewinnen. Wie konnte es also dazu kommen, dass sie einen Kreationisten auf den Mond schickten?

Auf der Apollo-15-Mission sollten vor allem geologische Untersuchungen durchgeführt werden – Wissenschaftler wollten herausfinden, was genau den Mond in seiner Umlaufbahn hielt. Dafür analysierten sie Mondgesteinsproben.

Apollo-15-Astronaut James Irwin.

Die Proben, die Armstrong mit auf die Erde gebracht hatte sowie die Proben aus den beiden darauffolgenden Missionen bestanden allesamt aus dichtem Basalt. Das ergab keinen Sinn. Es konnte nicht sein, dass der Mond allein aus diesem Gestein bestand, denn dann wäre er viel zu schwer, um einer genauen Umlaufbahn zu folgen.

Experten waren überzeugt, dass es auch leichteres Gestein auf dem Mond geben musste. So kam es, dass James Irwin und sein Mondfahrer-Kollege David Scott mit der Aufgabe betraut wurden, eine andere Gesteinsart ausfindig zu machen – ein helleres, leichteres Gestein. Beim Erforschen der Mondberge rief Scott auf einmal: »Jim, siehst du auch, was ich da sehe? Ich glaube, wir haben gefunden, wonach wir suchen.« Tatsächlich fanden sie genau das, was sich die Wissenschaftler erhofft hatten: reines, weißes Gestein. Allem Anschein nach war das Gestein vom Inneren des Mondes nach außen getrieben worden, sodass sich Bergketten formten. Es war »die wichtigste Entdeckung unserer Mission«.

Der Fund war für die NASA von immenser Bedeutung, denn er belegte ihre Hypothese, dass sich auch leichtere Materialien in und auf dem Mond befanden. Die Gesteinsprobe ging als Genesis-Stein in die Geschichte ein. Irwin jedoch sollte noch viel größere Erkenntnisse aus dem Fund ziehen. Denn zurück auf der Erde erfuhr er, dass der Genesis-Stein genauso alt war wie die Erde. In seinem Buch *More Than Earthlings* [Mehr als Erdlinge] schrieb er: »Das belegte, dass die Erde und der Mond zur selben Zeit erschaffen wurden, wodurch der wissenschaftliche Beweis für die Schöpfungsgeschichte nach dem Buch Genesis erbracht wurde.«

Irwin nahm seine Zeit auf dem Mond ohnehin als äußerst religiöse Erfahrung wahr. Immer wenn er auf der Mondoberfläche vor Problemen stand, bat er nicht die NASA um Hilfe, sondern Gott.

»Ich habe mich nie an Houston gewendet, weil ich wusste, es würde zu Verzögerungen kommen. Ich hatte keine Zeit, darauf zu warten, bis Houston mir die Antwort übermittelt. Ich brauchte sofort einen Rat. Bei technischen Schwierigkeiten fielen mir oft mehrere Lösungen ein, aber ich wusste nicht, welche die beste war. Also betete ich, und sofort wusste ich die Antwort. Ich rede hier nicht von vagen Andeutungen. Seine übernatürliche Präsenz war dort genau zu spüren. Wenn ich Ihn brauchte, rief ich Ihn an, appellierte an seine Allmacht.«

Irwin verließ 1972 die NASA und gründete die High Flight Foundation, deren Mission es war, das Wort Gottes zu verbreiten. »Jesus auf der Erde ist wichtiger als ein Mann auf dem Mond«, schrieb Irwin.

Ein paar Jahre später, 1976, traf Irwin bei einem seiner Vorträge in New Mexico auf einen Mann namens Eryl Cummings. Cummings beschrieb sich als Entdecker und erzählte Irwin von seiner Suche nach der Arche Noah, für die er bereits 16 Expeditionen unternommen hatte. Irwin war begeistert und beschloss, sich Cummings anzuschließen.* Ihre gemeinsamen Expeditionen zum Berg Ararat betrachtete Irwin als seine Bestimmung. Er war fest davon überzeugt, der Finder der Arche zu sein. In seinem Buch *More Than an Ark on Ararat* [Mehr als eine Arche auf dem Ararat] schrieb er:

---

* Bevor sie mit der Suche nach der Arche Noah begannen, bereisten Irwin und Cummings den Berg Nebo in Jordanien, um dort die Bundeslade ausfindig zu machen.

»Nach meinem Beitrag zur Apollo-Mission und der Entdeckung des Genesis-Steins spürte ich, dass Gott mir als Nächstes einen Fund aus dem Buch Genesis ermöglichen würde, und zwar hier auf der Erde.«

Auch wenn ich nicht religiös bin, beneide ich doch oft gläubige Menschen. Als ich Irwins Schilderungen seiner Abenteuer gelesen habe, wurde mir bewusst, wie sehr er seinen Schöpfer bewundert haben muss. Beim Besteigen des Berges Ararat sieht er einen Regenbogen, und dazu heißt es in seinen Memoiren:

»Der Regenbogen war direkt über uns! Dasselbe Zeichen hatte Gott auch Noah gesandt – was brauchten wir noch? Es war geradezu unheimlich, genau dort einen Regenbogen zu sehen, wo der erste Regenbogen aller Zeiten gesichtet worden war. Wir fühlten uns gesegnet – bestimmt würden wir bald die Arche finden!«[*]

Genau wie Neil Armstrong, der so gefesselt davon war, denselben Boden bewandert zu haben, auf dem schon Jesus gegangen war, spricht auch Irwin mit Begeisterung von seiner Reise:

»An der Besteigung des Ararat hat mich am meisten fasziniert, dass wir jederzeit genau dort gewandert sein könnten, wo mein Kindheitsheld Noah seine müde, durstige Familie den Berg hinuntergeleitet hatte.«

---

[*] In der Schöpfungsgeschichte gibt es eine Stelle, wo Gott Noah einen Regenbogen sendet.

Die Reise bestand jedoch nicht ausschließlich aus religiösen Glücksmomenten. Einmal bückte sich Irwin, um seine Klettereisen anzulegen, als ihn von hinten ein Stein traf und er den Berg hinunterstürzte. Irwin verlor fünf Zähne und verrenkte sich den Hals, woraufhin er gerettet werden musste.

WER DIE 13 NICHT MAG, VERSCHIEBT BESSER DEN START

Ich halte die Apollo-13-Mission für die großartigste Abenteuergeschichte aller Zeiten. Manche werden sich erinnern, dass es die einzige Apollo-Mission ohne Mondlandung war, da bereits zwei Tage nach Raketenstart ein Sauerstofftank explodierte und die Astronauten in die missliche Lage brachte, ohne ein funktionierendes Raumschiff nach Hause kommen zu müssen.

Viele Menschen glaubten, dass übernatürliche Kräfte hinter dem Unglück steckten. Es handelte sich schließlich um die Apollo 13. Außerdem war die Rakete ausgerechnet um 13.13 Uhr gestartet. Und ein Mitglied der Crew auf dem Raumschiff, Jack Swigert, war der 13. Astronaut der Apollo-Missionen. Swigert hatte den Schalter umgelegt, der die Explosion auslöste – und zwar zwei Tage nach Beginn der Mission, am 13. April.

EIN UNERWARTETER HELD

Eine selten erzählte Geschichte vom Tag der Apollo-13-Explosion handelt von dem Mann, der den drei Astronauten das Leben rettete, und auch von dem erstaunlichen Zufall, der ihm dabei zu Hilfe kam.

Als Folge der Explosion fiel auf der Apollo 13 sofort der Strom aus, auch Wasser und Sauerstoff wurden knapp. Im Grunde ging alles schief, was schiefgehen konnte. Wundersamerweise arbeitete ein Mann bereits an der Lösung genau dieses Problems: Der Elektroingenieur Arturo Campos wusste, wie man drei gestrandeten Astronauten mit kaputtem Raumschiff aus der Patsche half, denn rein zufällig hatte er nur wenige Stunden vor der Explosion einen Film über drei gestrandete Astronauten mit kaputtem Raumschiff im Kino gesehen.

Verschollen im Weltraum ist ein Science-Fiction-Drama mit Gregory Peck und Gene Hackman in den Hauptrollen. Er handelt von der Besatzung eines Raumschiffs, der nach einer Explosion allmählich der Sauerstoff ausgeht, während die Bodenstation verzweifelt versucht, sie sicher nach Hause zu bringen. Der Film kam am 10. November 1969 in die Kinos, gerade einmal fünf Monate vor Beginn der Apollo-13-Mission.

NASA-Ingenieur Jerry Woodfill zufolge hatte sich eine Gruppe von NASA-Angestellten den Film am Tag des Unglücks angesehen. Unter ihnen war auch Campos, der für das Stromsystem der Apollo 13 verantwortlich war.

Im Film rettete das Bodenpersonal die Astronauten, indem sie die Entladung der Raumschiffbatterien verhinderten; das bedurfte allerdings genauer Anweisungen für das Laden der Batterien. Nach dem Kinobesuch fragte sich Campos, was er tun würde, käme die Apollo 13 in ähnliche Schwierigkeiten. Er ahnte nicht, dass er sich dadurch einen Vorsprung verschaffte, da er in ein paar Stunden genau dieses Problem würde lösen müssen.

Campos legte sich schlafen und dachte noch im Bett über das Problem nach. Nur wenige Stunden später klingelte sein Telefon, und er wurde umgehend zurück in die NASA-Station beordert. Auf dem Weg dorthin ging ihm ständig der Satz »Ladet die Batterien« aus dem Film durch den Kopf. Dieser Satz erinnerte ihn an eine Methode, auf die er einmal gekommen war, mit der man fast leere Batterien wieder vollständig aufladen konnte. Dafür waren nur ein paar Überbrückungskabel zwischen Kommandokapsel und Raumfähre nötig.

Campos notierte die Methode, so schnell er konnte, und wies Woodfill und die anderen Ingenieure an, die Baupläne des Raumschiffs nach Kabeln zu durchforsten, mit dem die Batterien verbunden werden konnten. Sobald man ein solches Kabel gefunden hatte, wurde Campos' Methode sofort in die Tat umgesetzt. Glücklicherweise funktionierte diese, und es gelang den Astronauten, die Batterien der Kommandokapsel aufzuladen. Durch diese gelungene Teamarbeit schaffte es die Besatzung sicher zurück nach Hause.

NASA-Elektroingenieur Arturo Campos.

Dass sie heil auf der Erde ankam, grenzt an ein Wunder. Es ist eine unwahrscheinliche Überlebensgeschichte. So unwahrscheinlich sogar, dass ihre Verfilmung – *Apollo 13* mit Ron Howard als Regisseur und Tom Hanks in der Hauptrolle – bei Testvorführungen schlecht abschnitt. Ein Zuschauer beschwerte sich darüber, wie unglaubwürdig das Ende sei. »Schrecklich!«, schrieb er in einer Rezension, »Typischer Hollywood-Quatsch!!«, und schließlich: »Die würden das niemals überleben!!!«

KAPITEL 14

AUF DEN SPUREN DER SCHARLATANE

DIE THEORIE DER UNERWARTETEN HELDEN

Scharlatane faszinieren mich. Obwohl es sich größtenteils um hochgefährliche Typen handelt, haben ihre Taten oft ungewollte Folgen, die Großartiges hervorbringen, wofür sie in der Regel jedoch keine Anerkennung erhalten. Verstehen Sie mich bitte nicht falsch, nur sehr wenige Dinge auf dieser Erde bereiten mir mehr Freude als die Bloßstellung eines Scharlatans wie zum Beispiel des englischen Okkultisten und Wicca-Hohepriesters Alex Sanders (1926–1988), der selbsternannte »König der Hexen und Hexenmeister«, auch bekannt als Verbius. Sanders flog als Hochstapler auf, als er Pressevertreter nach Alderley Edge in Cheshire einlud, um dort mittels einer uralten Beschwörungsformel einen Mann aus dem Reich der Toten in die Welt der Lebenden zurückzuholen. Zum einen vermochte er nicht, den Mann wiederzubeleben, zum anderen stellte sich die von ihm benutzte Beschwörungsformel als ein rückwärts vorgelesenes Rezept für eine Biskuitrolle heraus. Manchmal frage ich mich schon, wo wir ohne diese Leute wären.

Ein weiteres Beispiel ist Tuesday Lobsang Rampa (1910–1981), der als der größte Betrüger gilt, den die Tibetologie je gesehen hat. Rampa, der angebliche Sohn eines Aristokraten im Dienst der Regierung des Dalai Lama, wurde als wiedergeborener tibetischer Mönch und Lama-Heiler anerkannt. Er wuchs in Lhasa auf, wo ein über zwei Meter großer Mönch und Polizist im Ruhestand namens Old Tzu sich um ihn kümmerte. Später schrieb er eine Handvoll Bestseller, unter anderem *Das dritte Auge: Ein tibetanischer Lama erzählt sein Leben*, von dem eine halbe Million Exemplare verkauft wurden, und *Living with the Lama* [Leben mit dem Lama], das ihm von seiner Katze, Mrs. Fifi Greywhiskers, diktiert wurde.

»Sämtliche Schriften von Dr. Rampa sind zu 100 Prozent wahr«, steht bis zum heutigen Tag auf seiner Website. Heinrich Harrer, seines Zeichens österreichische Bergsteigerlegende, ehemaliges Waffen-SS-Mitglied, Schlittschuhbahnbauer des Dalai Lama und Autor des Buches *Sieben Jahre in Tibet*, war anderer Meinung und machte sich daran, Rampa als Hochstapler zu enttarnen. Die Ergebnisse seiner Recherchen waren schockierend. Harrer deckte auf, dass Rampa weder in Tibet gewesen war noch Tibetisch sprach, sondern ein Klempner aus Plympton, Devon, war, der in Wahrheit Cyril Henry Hoskin hieß.

Anstatt zuzugeben, dass er die Öffentlichkeit hinters Licht geführt hatte, verfasste Rampa ein weiteres Buch namens *The Rampa Story*, um den »Irrtum« aufzuklären: Ja, er habe tatsächlich mal Cyril Hoskin geheißen, sei aber dann zu einer anderen Person geworden, als er beim Versuch, eine Eule zu fotografieren, von einem Baum gefallen sei. Am Boden liegend habe ihn der Geist eines Mönches aufgesucht und ihm einen Körpertausch angeboten. Daraufhin habe Hoskin die Seele des Mönches in sich aufgenommen und seine alte Identität abgelegt.

Interessanterweise war Rampa trotz seiner Hochstapelei eine äußert einflussreiche Persönlichkeit. Der US-amerikanische Tibetologe Donald S. Lopez Jr. merkte bei Gesprächen mit Fachkollegen, dass viele von ihnen Rampa als die Person nannten, die ihre Begeisterung für das Thema Tibet entfacht habe. Obgleich er ein Scharlatan sondergleichen war, sind viele Menschen ihm für seine Arbeit dankbar, so auch der Dalai Lama.

Dann gab es da noch Grey Owl (1888–1938), einen indigenen Naturschützer aus Nordamerika, der mit seinen 1931 veröffentlichten Memoiren *The Men of the Last Frontier** eine gewisse Berühmtheit erlangte. Das Buch erzählt seine Lebensgeschichte: angefangen bei seiner Geburt in Rio Grande als Sohn einer Apachin aus New Mexico und eines Schotten, die beide als Schausteller in *Buffalo Bill's Wild West Show* auftraten (in der auch Grey Owl selbst später als Messerwerfer arbeiten sollte), über seine Lehrjahre unter dem Ojibwa-Chief Ne-Ga-nikabo bis hin zu seinem Engagement als Naturschützer und seiner größten Mission, der Biberrettung. Im Vorwort des Buches wird erklärt, dass es in den vielen Lagern entstanden sei, die Grey Owl bewohnt habe. Das Manuskript gilt als schwere Kost – allerdings nicht wegen der Thematik, sondern weil es von einem Franko-Kanadier mit »begrenzten Englischkenntnissen« verfasst wurde.

---

* Diese erschienen 2019 auf Deutsch beim Aufbau Verlag unter dem Titel *Pfade in der Wildnis*, übersetzt von Peter Torberg.

Grey Owl war von Haus aus Pelztierjäger. Eines Tages jedoch tötete er ein Biberweibchen und fand anschließend heraus, dass es zwei Jungtiere hatte, die er kurzerhand adoptierte. Dieses Erlebnis änderte einfach alles für Grey Owl, da es seinem Leben eine neue Richtung gab: Fortan setzte er sich für den Schutz der Tierwelt ein. Er baute sogar im Riding-Mountain-Nationalpark in der kanadischen Provinz Manitoba ein Schutzgebiet für Biber auf.

Das Buch wurde ein großer Erfolg und ermöglichte es Grey Owl, durch seine Lesungen die ganze Welt zu bereisen, von Amerika bis nach Großbritannien, wo er sogar eine Audienz bei der königlichen Familie im Buckingham Palace erhielt, um auch dort für den Naturschutz zu werben. Die ständigen Auftritte und Reisen (einmal waren es 138 Veranstaltungen in drei Monaten) forderten ihren Tribut.

Grey Owl.

Grey Owl war körperlich irgendwann so ausgelaugt, dass er nach der Heimkehr in seine Hütte am Ajawaan Lake in der kanadischen Provinz Saskatchewan krank wurde, ins Koma fiel und wenige Tage darauf verstarb.

Kurze Zeit nach seinem Tod kam heraus, dass Grey Owl in Wahrheit überhaupt keinem indigenen Volk Kanadas angehörte, sondern bei einem Holzunternehmen im englischen Hastings gearbeitet hatte und eigentlich Archibald Stansfeld Belaney hieß. Belaney war im Alter von 18 Jahren nach Kanada gezogen und hatte dort mit dem Schreiben begonnen und sich eine neue Lebensgeschichte ausgedacht. Weder seine Eltern noch er waren je Darsteller in der *Wild-West*-Show gewesen. In Wirklichkeit war er von zwei Tanten großgezogen worden und hatte seine Eltern nie richtig kennengelernt. Um als Native Canadian durchzugehen, bearbeitete er seine Haut mit Henna und färbte seine Haare schwarz. Als die Lüge aufflog, zog das große Probleme für seine Verleger und die mit ihm zusammenarbeitenden Naturschutzorganisationen nach sich. Erstere mussten die Bücher von Grey Owl einstampfen oder noch einmal unter seinem richtigen Namen veröffentlichen. Letztere verloren mit einem Scharlatan als Galionsfigur einen großen Teil ihrer Glaubwürdigkeit. Trotzdem ist sein Einfluss auf die Menschheit bis heute nicht zu unterschätzen.

In den 1930er-Jahren zum Beispiel ging ein Zehnjähriger zusammen mit seinem Bruder im englischen Leicester zu einer Veranstaltung mit Grey Owl, der das Publikum mit seinen Geschichten über das indigene Leben in Nordamerika und seiner Botschaft vom Schutz der Natur und der Tierwelt in seinen Bann zog. Viele Jahre später sollte der ältere Bruder des Jungen schreiben:

»Es war für uns beide ein einschneidendes Erlebnis, eine Erfahrung, die auf nahezu perfekte Art und Weise die grundverschiedenen Leidenschaften vereint hat, die uns für den Rest unseres Lebens vereinnahmen sollten … [Mein Bruder] war schwer beeindruckt von der Entschlossenheit dieses Mannes, den nordamerikanischen Biber zu retten, von seinem tiefgreifenden Wissen über die Flora und Fauna Kanadas und von seinen Warnungen vor einer Umweltkatastrophe im Falle einer Zerstörung des ökologischen Gleichgewichts. Die Vorstellung, dass der Mensch die Umwelt durch die rücksichtslose Ausbeutung der natürlichen Ressourcen gefährdet, war damals vollkommen neu, gehört aber bis heute zu den Grundüberzeugungen [meines Bruders].«

Nach der Veranstaltung gingen die beiden Jungen zu Grey Owl, schüttelten ihm die Hand und ließen sich ein Buch signieren. Später stritten sie sich, wer dieses behalten dürfe. Obwohl er drei Jahre jünger war, schaffte David Attenborough es, seinem Bruder das Buch abzuluchsen, und bewahrt es bis zum heutigen Tag in seiner Bibliothek auf.

»Er war eine bedeutsame Persönlichkeit, einer der ersten seiner Art«, sagte David gute 50 Jahre später zu Richard. »Leider führten die Enthüllungen nach seinem Tod 1938 und der Ausbruch des Zweiten Weltkriegs dazu, dass all seine Warnungen ignoriert wurden. Am schlimmsten ist, dass die Umweltschutzbewegung mindestens 30 Jahre weiter wäre, hätte man damals getan, wozu er aufgerufen hatte.«

Am Ende dieses Buches frage ich mich nun, was wir ohne all diese Spinner bloß tun würden? Wäre David Attenborough ohne Grey Owl jemals bedeutender Tierfilmer, Naturforscher und Umweltschützer geworden? Hätte Ringo Starr sich ohne seine Exorzisten-Oma und die von ihr erzwungene temporäre Rechtshändigkeit jemals zu einem derart einflussreichen Drummer entwickelt? Und hätte Jane Goodall ohne die exzentrischen Entscheidungen von Louis Leakey je ihre wahre Berufung gefunden? Ich könnte diese Liste problemlos fortsetzen, aber im Grunde müssen Sie nur durch die Kapitel dieses Buches blättern, um noch mehr Beispiele zu finden.

Attenborough, Starr und Goodall wären sicherlich ohnehin herausragende Persönlichkeiten ihres Faches geworden. Die Ereignisse sind sicher nicht das Einzige, was sie ausmacht, sie waren bloß Teil ihrer Reise. Aber letzten Endes werden wir es nie genau erfahren.

Ob es uns gefällt oder nicht, es stimmt, dass diese alternativen Denker unsere Welt geformt haben. Manchmal zum Besseren, oft jedoch zum Schlechteren. Meist ist es eine eigenartige Mischung aus beidem, wie im Fall von Grey Owl. Ein Beweis vielleicht, dass das Gute selten ohne das Schlechte zu haben ist – es kann nicht für alles eine Theorie geben und für manches dann doch nicht.

WIR DÜRFEN ALLE SPINNER SEIN

Ich weiß, ich sollte keinen Lieblings-Pandemiefakt haben, aber das habe ich. Hier kommt er: Als im Januar 2020 das tödliche Virus ausbrach und das chinesische Wuhan als erste Stadt der Welt in den Lockdown ging, war einer der wenigen Briten, die plötzlich in der Stadt festsaßen, ein Mr.-Bean-Imitator.

Schon komisch, wie das Leben so spielt, oder? Für viele Menschen wäre das die schlimmste Situation aller Zeiten gewesen. Aber dem Mr.-Bean-Imitator, Nigel Dixon, kam es eher so vor, als habe sich sein ganzes Leben auf genau diesen Moment zugespitzt.

Dixon war privat in Wuhan, um dort Freunde zu besuchen, als die Pandemiemaßnahmen eingeleitet wurden. Niemand informierte ihn darüber, dass es Ausreisemöglichkeiten für Ausländer gab, also steckte er erst einmal fest. Als er von den Rückflügen erfuhr, hatte er schon beschlossen, in Wuhan zu bleiben, da er es nicht riskieren wollte, andere Leute anzustecken, falls er sich das Virus bereits eingefangen hätte.

Schon mit 30 Jahren begann Dixon seine Karriere als professioneller Mr.-Bean-Imitator. Unzählige Male spielte er den tollpatschigen Charakter auf Geburtstagsfeiern und Firmenevents. Doch er wollte mehr vom Leben und reiste jahrelang regelmäßig in die Medienmetropole Wuhan, in der Hoffnung, die Begeisterung der Chinesen für Mr. Bean würde ihm zum Durchbruch verhelfen. Allerdings passierte das nie.

Dank des von der Regierung angeordneten Lockdowns saß Dixon nun also auf unbestimmte Zeit in seinem winzigen Apartment in Wuhan fest. Er begann, Videos für verschiedene chinesische Online-Plattformen zu drehen, und schlüpfte dafür in den Charakter Mr. Pea (der offen gesagt genauso aussieht wie Mr. Bean, genauso redet wie Mr. Bean, denselben Teddy hat wie Mr. Bean und eigentlich einfach Mr. Bean heißen sollte).

Die verängstigte Bevölkerung fand Ablenkung in Mr. Pea, und in kürzester Zeit brachte Dixon es zu 450 Millionen Klicks auf Weibo und 6 Millionen Followern auf Douyin, der staatsbetriebenen chinesischen Version von TikTok. Nigel Dixons Charakter war bald allen ein Begriff.

Das Leben ist seltsam, und man weiß nie, welches Abenteuer einen als Nächstes erwartet. Nigel Dixon ist ein Beispiel dafür, was passiert, wenn man nicht zur richtigen Zeit am richtigen Ort ist, sondern zur richtigen Zeit am *falschen* Ort. Die meisten Leute planen ihr Leben lang immer den nächsten Schritt voraus, um ja nicht in eine falsche Situation zu geraten. Aber das ist feige und langweilig. Das Leben ist aufregend – begeben Sie sich zur richtigen Zeit an den falschen Ort und schon passieren die wundersamsten Dinge. Man muss nicht einmal lange suchen, um Beweise dafür zu finden; dieses Buch ist voll von Menschen, denen es so ergangen ist.

Ich hoffe, Sie hatten Spaß an dieser kleinen Reise in die Welt der Spinner und Kuriositäten. Hoffentlich hat diese Welt Wunder für Ihre wilden Ecken gewirkt und Sie dazu inspiriert, dass Sie sich ab und an eine Dosis durchgeknallter Ideen gönnen. Warum versuchen Sie es nicht mal? Fangen Sie an, mit Ihren Zimmerpflanzen zu sprechen; horchen Sie einen Tag lang darauf, wohin die Synchronizität Sie leitet; infizieren Sie sich mit Filzläusen (in kontrolliertem Rahmen); lernen Sie Delfinesisch; machen Sie aus Ihren Kindern Kultmusiker, indem Sie ihnen den Teufel austreiben; gehen Sie Ihrem »weichen Stein« auf den Grund; vielleicht schaffen Sie es ja sogar, eine allumfassende Theorie über Duschvorhänge aufzustellen.

Aber vergessen Sie nicht, was ich am Anfang gesagt habe: Keine dieser Theorien ist dazu da, dass man an sie glaubt. Sich trotzdem mit ihnen zu befassen, birgt Suchtgefahr. Die brillante Autorin und Performerin Daisy Campbell, die ich im Zusammenhang mit diesem Buch kennenlernen durfte, ließ ihr Leben so maßgeblich von Synchronizität leiten, dass sie sich einen besonders üblen Fall von Pronoia zuzog. Pronoia ist das Gegenteil von Paranoia: die Überzeugung, dass das Universum darauf aus ist, einem zu helfen.

Vielleicht sollte ich hinzufügen, dass ich zwar stark davon abrate, an die Theorien in diesem Buch zu glauben, gleichzeitig aber verhindern möchte, dass diese einfach verworfen werden, oder, noch schlimmer, in Vergessenheit geraten.

Wenn ich mir vorstelle, was es bedeutet, all diese Ideen zu verlieren, kommt mir eine Geschichte aus dem Jahr 1258 in den Sinn, als der Fluss Tigris sich angeblich schwarz färbte.

Hülegü, Bruder von Kublai Khan, und seine mongolische Armee waren gerade in Bagdad einmarschiert und plünderten dabei unter anderem das Haus der Weisheit, eine Bibliothek, die als das intellektuelle Zentrum der arabischen Welt galt. Die Mongolen beraubten die Bibliothek all ihrer Bücher und warfen Abertausende von ihnen in den Tigris. Der Legende nach stapelten sich irgendwann so viele Bücher im Flussbett, dass sie bis über die Wasseroberfläche ragten und man auf ihnen von einem Ufer zum anderen reiten konnte. Nach und nach lösten sich 500 Jahre Wissen, Theorien, Erzählungen, Heilmittel, Geschichten, Witze, Kulturen, Rezepte, einfach *alles* in Luft, oder eher Wasser, auf. Die Tinte von Hunderttausenden Buchseiten färbte das Flusswasser schwarz.

Der Gedanke, dass all diese Seiten dahin sind, bricht mir das Herz. Kaum vorstellbar, wie viele Informationen wir an jenem Tag verloren haben. Gott sei Dank gibt es die Universität der abgelehnten Wissenschaften.

Jeder Mensch hat eine Theorie, aber meine habe ich Ihnen noch nicht verraten. Vielleicht sollte ich sie jetzt erzählen – als Absacker ganz zum Schluss. Genau wie alle anderen Theorien in diesem Buch kann ich sie nicht beweisen.* Meine Theorie ist, dass ich weiß, wann das größte gemeinsame Gelächter der Weltgeschichte stattgefunden hat. Während ich diese Worte schreibe, ist es genau zehn Jahre her. Es ereignete sich am 27. Juli 2012 während der Eröffnungszeremonie der Olympischen Spiele in London.

Ich erinnere mich noch genau an den Moment – er war Teil eines bunten Entertainmentprogramms von Regisseur Danny Boyle, der für diesen Anlass die größten Errungenschaften der Briten präsentierte, vom National Health Service und den Suffragetten über die Innovationen der industriellen Revolution bis hin zur Erfindung des Internets. Der Moment ereignete

---

*   Noch nicht.

sich, als Dirigent Simon Rattle im Stadion auf die Bühne kam und das London Symphonie Orchestra die ersten Töne von Vangelis' Soundtrack zum Film *Die Stunde des Siegers* spielte.

Mit weltweit zwischen 700 Millionen und einer Milliarde Zuschauern, vor Ort und an den Bildschirmen, schwenkte die Kamera auf einen Finger, der nur eine einzige Taste auf dem Keyboard drückte – DUN DUN DUN DUN DUN DUN, derselbe Ton, immer und immer wieder. Dann wanderte die Kamera nach oben, und schließlich erkannte man das Gesicht hinter dem Finger: Es war Mr. Bean. Ein gewaltiger Lacher ging durch das Stadion, und auch beim Public Viewing in Ostlondon, wo ich das Event verfolgte, brach die Menge in Gelächter aus. Ich weiß noch, wie ich dachte: *Diese Szene läuft gerade in den USA, Indien, Afrika, China, Australien, überall auf der Welt, und überall wissen die Leute genau, wessen Gesicht das ist.*

Der Moment ging mir nicht mehr aus dem Kopf, denn die meiste Zeit herrscht auf unserem Planeten Uneinigkeit. Wir sind alle so verschieden, haben so unterschiedliche Ideen, Meinungen, Theorien und Kulturen, und vergessen dabei oft, dass wir derselben Spezies angehören. Aber manchmal, in den seltensten Fällen, glimmt ein winziger Hoffnungsschimmer auf, dass es so nicht sein muss.

Ich hoffe, dass genau in der Sekunde, als die Kamera auf Mr. Bean schwenkte, ein Raumschiff mit Außerirdischen an uns vorbeizog. Denn in diesem Moment zeigten wir uns von unserer besten Seite – ein ganzer Planet, gemeinsam lachend.

Das ist jedenfalls meine Theorie, und bei der bleibe ich.

Danksagung

Dieses Buch zu schreiben, war eine bereichernde Erfahrung. Zum einen, weil ich dadurch endlich vor meiner Frau rechtfertigen konnte, warum ich jahrelang unser Geld für Bücher wie *Who Built the Moon?* »verschwendet« habe. Zum anderen, weil es mir ermöglicht hat, mit Menschen, die ich kenne und schätze, über all die skurrilen Dinge zu sprechen, an die sie glauben. Diesen Menschen möchte ich Danke sagen.

Als Erstes danke ich all den Schriftstellern, Journalisten, Dokumentarfilmern und Comicbuch-Autoren, deren Werke mich zu den Theorien in diesem Buch gebracht haben. Ohne sie bestünde es aus leeren Seiten.

Ein großer Dank gilt meiner Familie: Mum, Dad, Chyna, Bluey (ihr vier habt diesen Typen hier zum Spinner gemacht; danke, dass ihr immer da seid), Charbel, Georgia, Sofia, Alessandra, Colleen, Andrew, Martha, Isaac, Rosie, Martyn Sr., Martyn Jr., Christopher, Kit (Willkommen auf der Welt, Buddy), Liam, Pisey, Grandma, Grandpa, Popsy, Tammy, Hugh, Dean, Bettina, Ash, Lucas und all die österreichischen Schreibers.

Ein riesiges Dankeschön auch an Carol, Will, Annabel, David, Lola, Isla, Rob und Grace, die sich während der Entstehung dieses Buches so wundervoll um mich gekümmert haben.

An meine Gurus: John Lloyd, Rich Turner und Rhys Darby – danke, danke euch dreien für all die bewusstseinserweiternden Gespräche in den letzten paar Jahrzehnten. Ich hätte mir keine besseren Mentoren erträumen können.

An die Geister von Ken Campbell (von dem die »wilde Ecke« als Bezeichnung der japanischen Zen-Garten-Methode stammt), Robert Anton Wilson und Spike Milligan.

An Andy, Anna und James, die mir im Laufe der letzten neun Jahre so viel beigebracht haben (unter anderem, wie man schreibt) – wir hatten so eine verrückte Zeit mit dem *Fish Podcast*, und ich kann unsere nächsten Abenteuer kaum erwarten.

An Alex Bell, der mit seinem Riesenhirn immer für mich da ist. Ein großes Dankeschön auch an meine *QI*-Familie: Sarah Lloyd, Liz Townsend und all die anderen Elfen.

An das brillante HarperCollins-Team: Meinen großartigen Lektor Joel Simmons (hätte ich ein spirituelles Krafttier, wäre es Joel), Sarah Hammond (Ehren-Avalonianerin), Hattie Evans, Ellie Game, Jamie Williams, Ajda Vucicevic, Adam Humphrey, Orlando Mowbray, Jessica Jackson und Ameena Ghori-Khan. Danke auch an meine Korrektoren Neil und Mark.

Ein riesiges Dankeschön an Sam Minton, dessen Illustrationen diesen Geschichten das gewisse Etwas verleihen.

Nichts von all dem wäre ohne Ben Dunn passiert – dieses Buch würde schlichtweg nicht existieren. Vielen, vielen Dank, Ben. Danke, John Noel, dass du vor so vielen Jahren ein Risiko mit mir gewagt und nie aufgehört hast, an mich zu glauben, und danke, Nik Linnen für das nächste spannende Kapitel.

Für ihre Kommentare während der Entstehung dieses Buches möchte ich danken: Marc Abrahams, Jason Hazeley, Ken Plume, Jack Fogg, Louis Theroux, Jamie Morton, Alice Levine, Emma Moss, Ash Gardner, Jacqui Ellulgulug, David Bramwell,

Daisy Campbell, John Higgs, Craig Glenday, Irving Finkel, Colonel John Blashford Snell, Sarah Darwin, Dan Neeson, Xander Milne, Joel Hill, Alex Edelman, Georgie, Lise, Tom Tom, Milla, Henry, Tracey, Josh, Kara, KP, JP, Hugh, Benjamin, Meg, Jared, Alfie, Gwen, Chris, Arlo, Amy, meinen Lehrern an der Steiner-Schule und meinen Freunden bei Avalon.

Es heißt, ein Buch zu schreiben, sei eine einsame Erfahrung. Das stimmt nicht. Nicht, wenn man hoch qualifizierte Spinner an seiner Seite hat, die Tag und Nacht für jeden Unfug zu haben sind und sich mit einem auf die Jagd nach den absurdesten Fakten machen. Dieses Buch hätte nie geschrieben werden können ohne Emma Govan, Mark Vent (der Held, der alle Fakten in diesem Buch überprüft hat. Du bist der Hammer, Mark!), Shona MacLean, Paul Plowman, Tamsin Wilson, Ed Walwyn, Rigmor Hanken, Ingrid O. Rongen, Jody Pearce, Micah Bell, Emily Rich, Katrine Lisbygd Nielsen, Deirdre Jernigan, Kicki Wikström, Laura Wooton, Brianna Scanlan und Daniela Herz.

Die letzten Sätze dieses Buches wurden auf dem Beifahrersitz bei einer Fahrt um den Loch Ness geschrieben, während mein Kumpel Leon »Buttons« Kirkbeck am Steuer saß. Leon, du bist ein Held, und dein Beitrag zu meinem Buch ist unbezahlbar.

Der größte Dank von allem gilt jedoch meiner Frau Fenella, der Liebe meines Lebens – danke für alles. Und meinen drei wunderschönen Söhnen Wilf, Ted und dem, der noch keinen Namen hat. Ich kann es kaum erwarten, zu sehen, zu was für wundervollen Spinnern ihr im Laufe der Jahre heranwachsen werdet.

Und zum Schluss noch ein Danke an Sie, die Leser. Danke, dass Sie sich für dieses Buch entschieden haben.

Bibliografie

Eine umfassende Liste aller Quellen, inklusive Zusatz-material, Ausführungen zu den einzelnen Theorien, Kor-rekturen, Newsletter und vielem mehr, finden Sie auf www.theoryofeverythingelse.co.uk.

Aldrin, Buzz, Wayne Warga: *Return to Earth*, Open Road Me-dia, 2015

Beatles, The: *Anthology*, übersetzt von Giovanni Bandini. Ull-stein, 2000

Bird, Christopher, Peter Tompkins: *Das geheime Leben der Pflan-zen*, übersetzt von Eva u. Matthias Güldenstein, Scherz, 1974

Bramwell, Tony: *Magical Mystery Tours: My Life With The Bea-tles*, St. Martin's Griffin, 2006

Brooks, Michael: *There's a glitch at the edge of the universe that could remake physics*, 2018, online unter: https://www.new-scientist.com/article/mg24031982-200-theres-a-glitch-at-the-edge-of-the-universe-that-could-remake-physics/

Clarke, Arthur C.: *Greetings, Carbon-Based Bipeds!*, Voyager, 2000

Darwin, Charles: *Brief an John Tyndall vom 4.12.1878*, online unter: https://www.darwinproject.ac.uk/letter/?docId=let-ters/DCP-LETT-11771.xml

Darwin, Charles, Francis Darwin: *Das Bewegungsvermögen der Pflanzen*, übersetzt von J. V. Carus., E. Schweizerbart'sche Verlagshandlung, 1881

Dick, Philip K.: *The Exegesis of Philip K. Dick*, Gollancz, 2012

Drake, Frank: *Is Anyone Out There?*, Pocket Books, 1997

Finkel, Irving: *The Ark Before Noah*, Hodder and Stoughton, 2014

Fortune smiles on unluckiest man in *The Scotsman*, 2003, online unter: https://www.scotsman.com/news/world/fortune-smiles-on-unluckiest-man-2512781

Friedman, Thomas: *Von Beirut nach Jerusalem: Erfahrungen im Nahen Osten*, übersetzt von Till Lohmeyer und Christel Rost, Moewig, 1989

Gagliano, Monica: *Thus Spoke the Plant*, North Atlantic Books, 2018

Gamow, George: *Thirty Years That Shook Physics: The Story of Quantum Theory*, Dover, 1985

Geiger, John: *Überleben in Extremsituationen: Das Phänomen des Dritten Manns*, übersetzt von Karina Of, Malik, 2011

Good, Timothy: *Jenseits von Top Secret: Das geheime Ufo-Wissen der Regierungen. Eine Dokumentation*, übersetzt von Ulrike Bischoff, Dagmar Kreye, Bettina Lücker und Marie A. Mehlhop-Lange, Zweitausendeins, 1991

Good, Timothy: *Alien Contact*, William Morrow, 1993

Hansen, James R.: *Aufbruch zum Mond*, übersetzt von Elisabeth Schmalen, Heyne, 2018

Hillary, Peter, John Elder: *In The Ghost Country*, Mainstream Publishing, 2004

Holzer, Hans: *The Psychic World of Plants*, Pyramid Books, 1975

Hough, Andrew: *Frano Selak: 'worlds luckiest man' gives away his lottery fortune* in *The Telegraph*, 14. Mai 2010, online unter: https://www.telegraph.co.uk/news/newstopics/howaboutthat/7721985/Frano-Selak-worlds-luckiest-man-gives-away-his-lottery-fortune.html

Hunt, David: *Girt Nation*, Black Inc., 2021

Irwin, James B., Monte Unger: *More Than an Ark on Ararat: Spiritual Lessons Learned While Searching for Noah's Ark*, Baptist Sunday School Board, 1985

Irwin, James B.: *More than Earthlings*, HarperCollins, 1984

Irwin, James B.: *To Rule the Night: The Discovery Voyage of Astronaut Jim Irwin*, A. J. Holman, 1973

Jung, C. G.: *Synchronizität, Akausalität und Okkultismus.* 6. Auflage, dtv, 2003

Kortlandt, Adriaan: *How might early hominids have defended themselves against large predators and food competitors?* in *Journal of Human Evolution*, Band 9, Ausgabe 2, 1980, online unter: https://www.sciencedirect.com/science/article/abs/pii/0047248480900664

Leakey, Louis S. B.: Development of Aggression as a Factor in Early Human and Pre-Human Evolution, in: Clemente, Carmine, Donald B. Lindsley (Hrsg.): *Aggression and Defense, Neural Mechanisms and Social Patterns*, University of California Press, 1967

Leaky, Mary: *Disclosing the Past, Double Day and Co.*, 1984

Levine, Joshua: *On a Wing and a Prayer*, Collins, 2008

Lewisohn, Mark, Geoff Baker: *It's exciting, it's shocking, it's frightening, it's sad, it's happy and it's THE BEATLES ANTHOLOGY. Interview for Club Sandwich*, 1995, Interview mit John Lennon, online unter: https://www.

the-paulmccartney-project.com/interview/its-exciting-its-shocking-its-frightening-its-sad-its-happy-and-its-the-beatles/

Lilly, John C.: *Man and Dolphin: Adventures of a New Scientific Frontier*, Pyramid Books, 1969

Lilly, John C.: *Ein Delphin lernt Englisch: Möglichkeiten der Verständigung zwischen menschlicher und außermenschlicher Intelligenz*, übersetzt von Eberhard Trumler, Rowohlt, 1971

Link, Mardi: *Seawind Saga: Pilot Who Crashed in Lake Michigan Had 7 Crashes in 7 Days*, online unter: https://www.aviationpros.com/aircraft/business-general-aviation/news/21231743/seawind-saga-pilot-who-crashed-in-lake-michigan-had-7-crashes-in-7-days

Lobsang Rampa, Tuesday: *Das dritte Auge: Ein tibetanischer Lama erzählt sein Leben*, übersetzt von Waltraut und Herbert Furreg, Piper, 1957

Lovell, Jim, Jeffrey Kluger: *Apollo 13*, übersetzt von Karl Georg, Goldmann, 1995

Michanowsky, George: *The once and future star: The Mysterious Vela X Supernova and the Origin of Civilizations*, Barnes & Noble, 1979

Miles, Barry: *Paul McCartney: Many Years from Now*, übersetzt von Carl-Ludwig Reichert und Fritz Schneider, Rowohlt, 1998

Miller, Arthur I.: *137: C. G. Jung, Wolfgang Pauli und die Suche nach der kosmischen Zahl*, übersetzt von Hubert Mania, Deutsche Verlagsanstalt, 2011

Mullis, Kary: *Dancing Naked in the Mind Field*, Pantheon Books, 1998

Mullis, Kary: *Nobel Lecture*, 1993, online unter https://www.nobelprize.org/prizes/chemistry/1993/mullis/lecture/

Owl, Grey: *Pfade in der Wildnis: Eine indianische Erzählung von der Natur*, übersetzt von Peter Torberg, Die Andere Bibliothek, 2019

Perminov, V. G.: *Difficult Road to Mars: A Brief History of Mars Exploration*, United States Government Printing Office, 1999

Poundstone, William: *Carl Sagan: A Life in the Cosmos*, Henry Holt, 1999

Religion: Spiritualist Heyday in *Time Magazine*, 1930, online unter: https://content.time.com/time/subscriber/article/0,33009,739872,00.html

Stashower, Daniel: *Sir Arthur Conan Doyle: Das Leben des Vaters von Sherlock Holmes*, übersetzt von Michael Ross und Klaus-Peter Walter, Baskerville Bücher, 2008

Stone, Robert B.: *The Secret Life of Your Cells*, Schiffer, 1997

Strieber, Whitley: *Die Besucher. Eine wahre Geschichte*, übersetzt von Joachim Körber und Angelika Felenda, Carl Ueberreuter Verlag, 1988

Swift, Jonathan: Prosaschriften, 4. *Gullivers Reisen*, hrsg. von Felix Paul Greve, Übersetzer*in unbekannt, Erich Reiss Verlag, 1910

Tolkien, J.R.R.: *Der Hobbit: oder Hin und Zurück*, übersetzt von Wolfgang Krege, Klett-Cotta, 2. Auflage, 2010

Watts, Alan: *In my own Way: An Autiobiography*, New World Library, 2007

Bildquellen

Bild S. 15: Jeff Overs/BBC News & Current Affairs via Getty Images
Bild S. 21: GL Archive/Alamy Stock Photo
Bild S. 34: Rhonda Birndorf/AP/Shutterstock
Bild S. 45: Bildquelle: SiliconValleyStock/Alamy Stock Photo
Bild S. 49: CBW/Alamy Stock Photo
Bild S. 54: STR/AFP via Getty Images
Bild S. 86: Archive PL/Alamy Stock Photo
Bild S. 90: Unbekannter Fotograf (Richard Bradley collection)/Alamy Stock Photo
Bild S. 121: The John Lilly Estate
Bild S. 131: Henry Groskinsky/The LIFE Picture Collection/ Shutterstock
Bild S. 152: Robert Gilhooly/Alamy Stock Photo
Bild S. 157: GL Archive/Alamy Stock Photo
Bild S. 161: GL Archive/Alamy Stock Photo
Bild S. 168: Imperial War Museum/Ref CH7738
Bild S. 179: Denver Post via Getty Images
Bild S. 196: HUM Images/Universal Images Group via Getty Images
Bild S. 202: NASA/Mit freundlicher Genehmigung der Campos Family
Bild S. 207: © Hulton-Deutsch Collection/CORBIS/Corbis via Getty Images